# 日本の国際報道はウソだらけ

嘘 島田洋一
Yoichi Shimada
×
飯山 陽
Akari Iiyama

かや書房

# はじめに

《島田洋一》

中東・イスラム研究の第一人者、飯山陽氏との対談はいつも勉強になる。

私はアメリカ研究が専門なので、数十年来、米国の政治家や外交官、研究者の中東政策論を相当量読み、聴き、論じてきた。他の諸テーマ同様、保守派とリベラル派のスタンスの違いは、時にきわめて先鋭である。

そうした中、飯山氏のいくつかの文章に接して、この人はアメリカなら、まさに保守本流の最先端を行く稀有《けう》の論客だと感じた。

ピラミッドを背景に可愛い女の子が表紙を飾る、氏の『エジプトの空の下』（2021年、晶文社）も非常に印象的な本だった。愛娘《まなむすめ》のエピソードで幕を開けるので、ほのぼのとしたエッセイ集かと思わせるが、恐ろしく中身の濃いアラブ世界ルポルタージュである。

アメリカで中東を語る人々のほとんどは、現地の言葉ができない。一方、飯山氏はアラビア語に堪能《たんのう》であり、活力と同時に危うさにも満ちたアラブ・ストリートで、何年も揉まれた経験を有する。

鋭い観察眼と深い現地体験を併《あわ》せ持つ氏は、間違いなく国際的にトップクラスの研究者である。

ところが、追々《おいおい》、気づかされたのだが、飯山氏は日本の中東学会では異端扱いされ、完全に干《ほ》されているという。ゆるい綺麗ごとを並べ、時の政権、外務省と、金銭面も含めて馴れ合う業界人にとっては、「不都合な真実」を語る氏は厄介きわまりない、寄ってたかって潰さねばならぬ存在なのだろう。

美魔女で弁の立つ「いかりちゃん」は、アメリカなら今頃、保守系の中心的メディア、FOXニュースあたりに出ずっぱりだと思うが、日本のテレビ局からは一切、出演依頼が来ないという。

かく言う私も、アメリカ政治に関して、何度か間違ってテレビ局に呼ばれたことがあるが、まず「二度目」はない。飯山氏ほどの「寄らば斬る」凄みはないにせよ、局の上層部やスポンサー企業にとっては「危なくて出せない」存在らしい。

以下の各章では、こうした日本の学界やマスコミの欺瞞《ぎまん》的あり方を、具体的な国際問題および報道の実態に即して忌憚《きたん》なく論じ合った。

実名入りの、「それをオンで言っていいのか」次元の話が満載と自負している。

目次

# 日本の国際報道はウソだらけ

はじめに《島田洋一》 3

第1章 日本の中東報道と政府対応は、あまりにも頓珍漢 13

ハマスのテロへの日本政府の対応は異常かつ不適切
日本の国会議員たちは中東に関して何も知らない
日本政府は現実を理解せずにパレスチナに金を配っている

第2章

# バイデン政権はアメリカと世界に何をもたらしたのか

アラブ諸国がいかにハマスを嫌っているかを日本人は知らない
岸田外交は、無知が生んだ「全方位嫌われ外交」だ
テロ組織に対して、話し合いなどは無意味だ
第5次中東戦争の可能性は限りなく低い
日本のメディアは「イスラエルの朝日新聞」の引用ばかり
日本のメディアも学者もおそらく、世界で一番偏向している
合理的でない反権力には社会正義病がある

バイデン政権の失政が中東の混乱を招いた
トランプには、口先だけではない抑止力があった
ここのまま甘い状態だと経済難民が日本に集まってくる

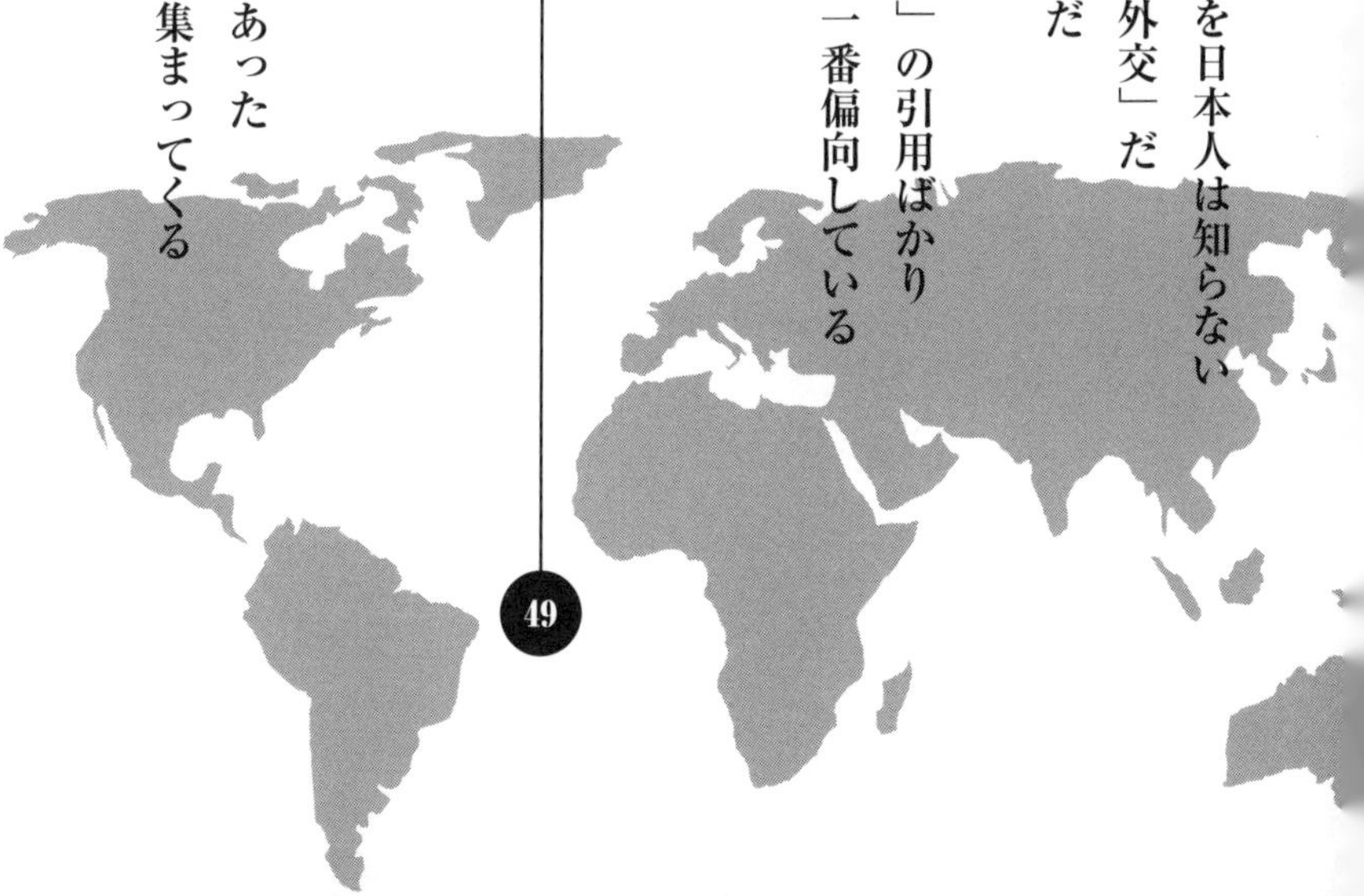

# 第3章

# ＬＧＢＴ法があるのは日本だけ

移民により、途上国が先進国を植民地化している
日本の言論環境では、真実を言うと干されてしまう
トルコは中東でトップに立つためにテロ組織を擁護している
「ＬＧＢＴ法がないのはＧ７の中で日本だけ」は嘘
自民党の政治家も保守派言論人もファクトを知らない
しっかりとした保守的な議論をする学者は生き残れない
アメリカ民主党の言いなりになって転んだのは悪手
まったく主体性がないまま、政策を進める危うさ
人権理事会は、ないほうがいい
アメリカの保守派は常識の立場に還っている
ＬＧＢＴ法も移民問題も、左派の社会正義論

第4章
新・悪の枢軸に日本は何も対処できていない 105
日本は核を持つことに関して、議論すらできない
イラン、ハマスを支援しているのは、日本の敵国
日本のメディアはタブーに触れようとしない
日本はイランの体制をまるで理解していない
抑止力とは、やってきたら、やり返すこと

第5章
国民の意識が変わってきた今こそ「核抑止」の議論と準備を 129

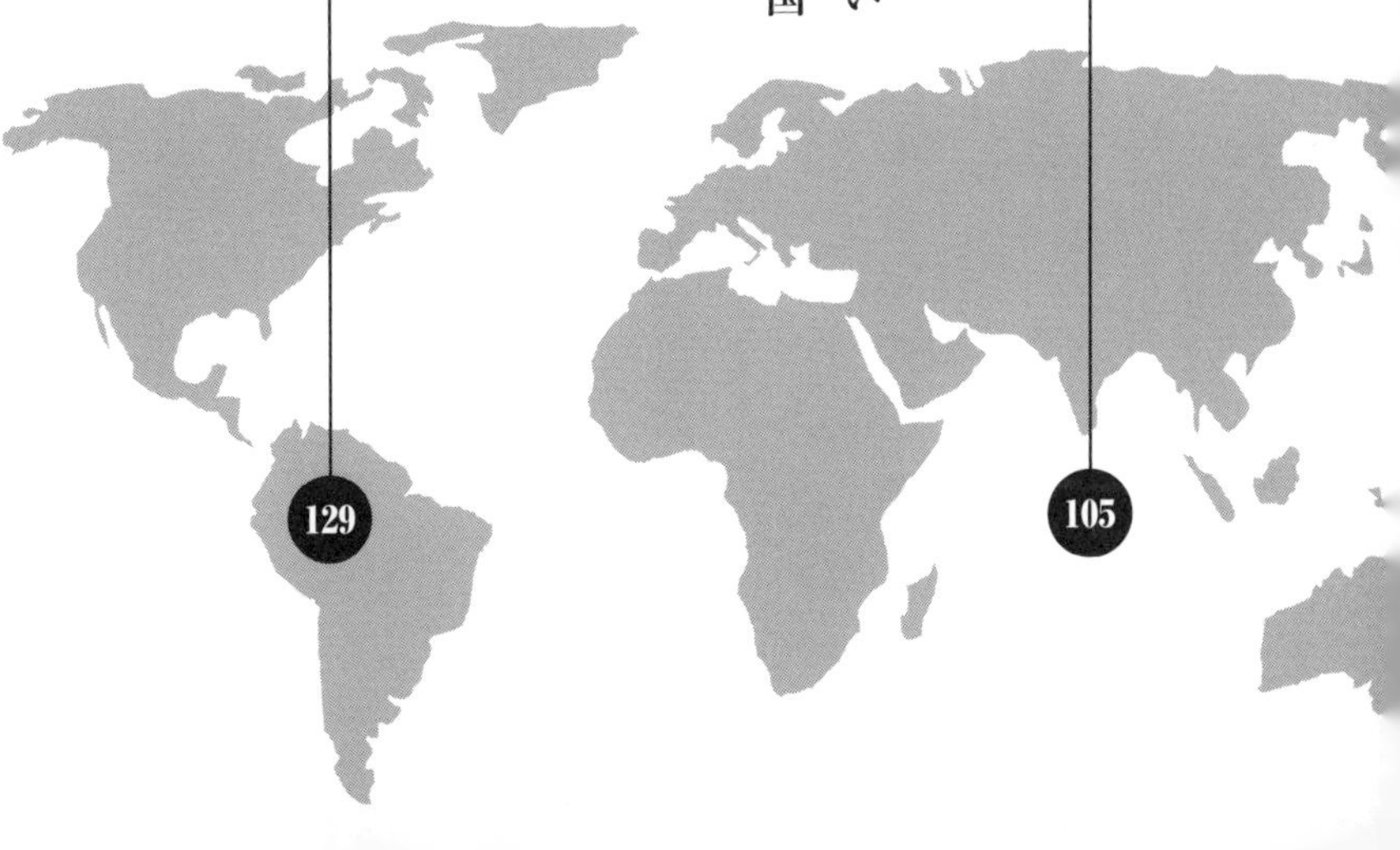

# 第6章

# 国連と学会が機能しないのはなぜか

「唯一の被爆国だから、核兵器を持ってはいけない」の矛盾
日本は現実の環境に照らした議論をせよ
知的ガッツのある政治家が求められる
度重なる日本船へのテロによりバランス外交の間違いは実証されている
イランの機嫌をとっても、何の意味もない
アメリカの大学が左翼化していることを政治家は知らない
アメリカでは保守派がしっかりしている州の人口が増えている
日本の政治家は左翼の本当の怖さを理解していない
日本の国連常任理事国入りはできるはずがない
国際法に関して語る人間は、国際法の基本を知らない
日本は世界中からバカにされ、たかられている

大勢に逆らうと、学会に居残れない
対案、別の選択肢がないのが日本の弱さ
おわりに《飯山 陽》—— 182

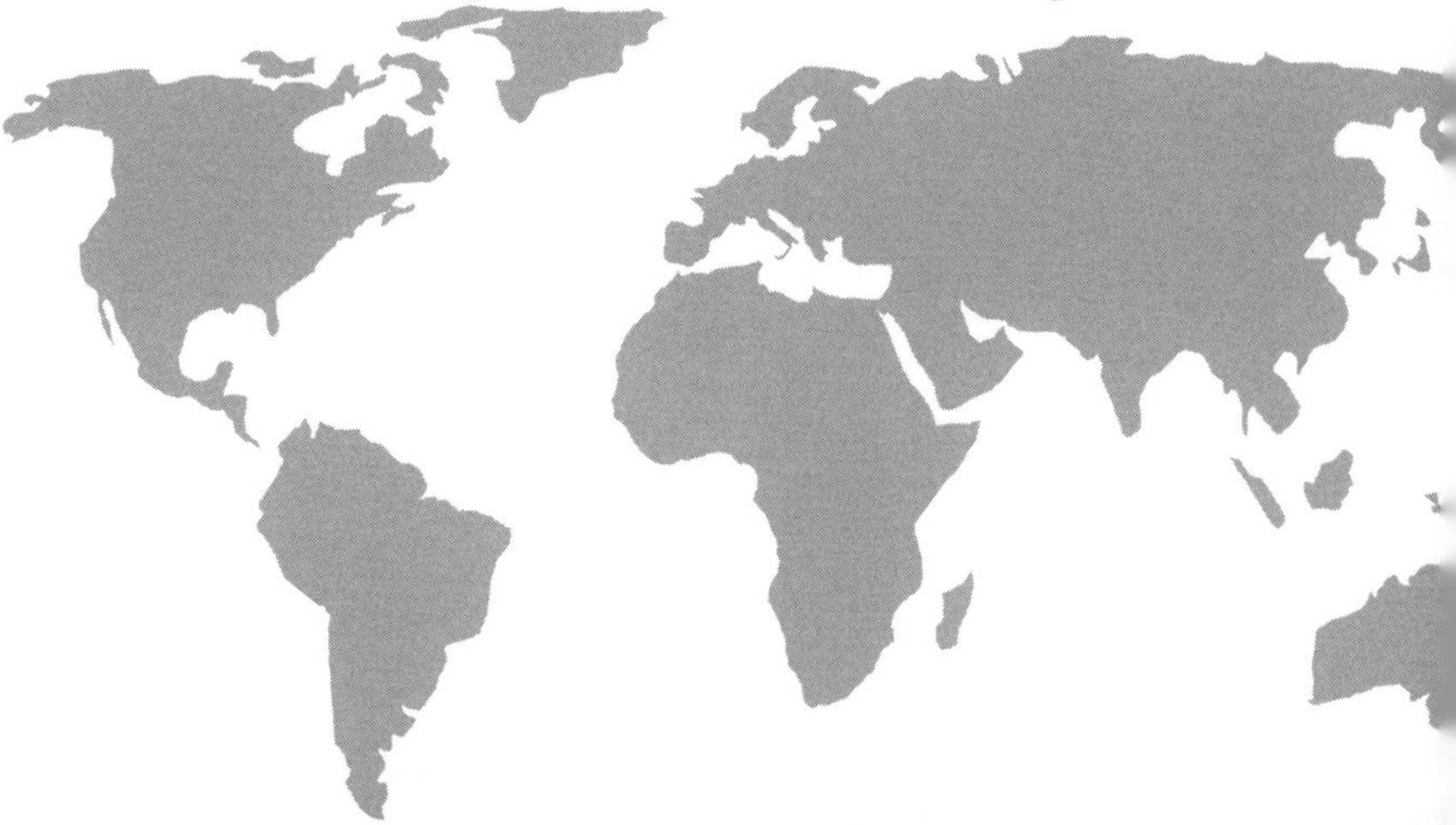

編　集●白石泰稔
装　丁●冨田晃司
帯フォト（島田洋一）●産経新聞社

# 第1章

# 日本の中東報道と政府対応は、あまりにも頓珍漢

## ハマスのテロへの日本政府の対応は異常かつ不適切

**島田**　２０２３年10月7日、イスラム過激派テロ組織ハマスがガザ地区から出撃しました。イスラエル人、１４００名を虐殺、外国人も含めて２００名以上を拉致しました。情けない話ですが、日本政府は北朝鮮拉致と結びつけられて踏み込んだ対応を求められるのが嫌で、拉致という言葉を意図的に避け、「誘拐」という言葉を使い続けた。

この間、上川陽子外相がヨルダン川西岸とイスラエルを訪れ、ガザに足場を持たない腐敗したパレスチナ自治政府に１００億円の追加資金提供を約束、イスラエルに対しては人道的観点から戦闘の休止を要請している。

**飯山**　停戦しろと言ったわけですね。

**島田**　日本も北朝鮮に相当な数の国民が拉致されている。ほとんどがいまだに解放されていません。イスラエル政府は、人質奪還とハマスの無力化を達成するまで戦闘休止はあり得ないと宣言しています。

**飯山**　それが公式的な立場ですね。

**島田**　ガザでの地上作戦開始後、東京でギラッド・コーヘン駐日イスラエル大使と意見交換する機会がありました。大使は「我々は、軍事力を用いなければ人質を取り返せないと考えている。日本も北朝鮮に国民を拉致されているが、外交交渉、経済制裁で取り返せましたか。我々のやり方が間違っているというなら、正しい対処法を教えてほしい。相手はテロ組織です」と語りました。

その通りで、私は、拉致被害者奪還に軍事力も用いるというのは国際常識にかなった立場だと思います。この辺りの事情から飯山さんに解説頂きたい。

**飯山**　今般のハマスのイスラエルに対する大規模テロ攻撃に対する日本政府の対応は、異様かつ不適切だと私は考えています。他のＧ６諸国と比べて初動も遅かった。Ｇ６諸国の首脳や外相が自ら、ハマスの攻撃をテロだと非難したのに対し、日本政府は丸一日静観しました。

ハマスが襲撃したのはキブツと呼ばれる農場や、音楽フェスティバル会場です。彼らは民間人であり、兵士ではありません。ハマスは民間人を無差別に攻撃し、赤ちゃんから老人まで筆舌に尽くしがたいほどの残虐なやり方で殺した。この事実をもってなお、岸田首相はこれを「テロ」と呼ぶことを躊躇《ちゅうちょ》し、さらに被害を被《こおむ》ったイスラエルに対しても「自制」を求める声明を出しました。

**島田** 「イスラエルによるハマス壊滅作戦は正当」「軍事力を用いても拉致被害者を救出する姿勢を支持する」とは絶対に言わないのが日本政府の一貫した立場ですね。

**飯山** 日本以外のG6諸国は、当初からイスラエルの自衛権行使を支持すると明言しました。日本だけが例外的にそれを明言せず、なおかつ、イスラエルに自制を迫った。なぜならば「事態の沈静化」が最重要だからだ、というのが日本政府の立場です。イランやロシアといった大国に支援された凶悪かつ強大なテロ組織ハマスに攻撃され、1200人以上の命を奪われたイスラエルに、エスカレーションを避けるために自制せよと要請する。これが日本政府です。

**島田** G7議長国でありながら、日本政府のみが共同声明に加わらなかった。記者会見で「なぜ日本だけ外れたのか?」と質問されて、松野博一官房長官（当時）は「他の6カ国は自国民を拉致されている。日本はされていないから」との趣旨を、例によって棒読みしました。北朝鮮の日本人拉致に関して、自国民が被害に遭《あ》っていなくとも救出に協力して欲しいと他国に求めておきながら、明らかに矛盾した態度です。呆れたことに、岸田政権だけでなく、与党自民党の幹部クラスにもしっかり声を上げる人がいなかった。

**飯山**　誰もいないですね。

## 日本の国会議員たちは中東に関して何も知らない

**島田**　アメリカを見ると、バイデン大統領は、２０１５年にオバマ政権がきわめて宥和《ゆうわ》的で抜け穴だらけの「イラン核合意」を主導したときの副大統領です。遡れば、30歳で上院議員になって以来、判断力に欠けた頼りない人物です。

共和党はイスラエルを全面支援しろという議員が大多数で、戦争がハマスの背後にいるイラン相手まで拡大した場合でもイスラエルを支持するとあらかじめ明言して、抑止力を効かせるべき、と主張する議員も少なくない。

民主党も、ヨルダン川西岸出身のラシーダ・トリーブ下院議員を中心に極左グループはイスラエル非難の立場ですが、大勢は、自制を求めつつもイスラエル支持が基本です。ちなみに上院民主党のトップで院内総務を務めるチャック・シューマーはユダヤ系で、同じ党のオバマ大統領がまとめたイラン核合意に反対しました。
アメリカの政界、言論界では、「ハマスはイラン子飼いのテロ組織」との認識が普通で、対イラン制裁強化の声も議会で上がっている。一方、日本の国会では、とにかく停戦に向けてイスラエルに自制を求める、「パレスチナ」支持のアラブ諸国や友好国イランを刺激してはならない、「パレスチナ代表」とされる腐敗した暫定自治政府や無責任な国連機関にとりあえず「人道支援金」を渡しておく、といった発想が基本です。こうした自民党、野党を含めた国会の状況をどう評価されますか。

**飯山**　おそらく日本の国会議員の多くは、中東問題について関心も見識もないのだと思います。そのあたりは、アメリカの国会議員とは異なる。アメリカの国会議員はアメリカの国益に関わる国際問題については一通りの見識を持ち、新たな事態が生じると、それについて具体的に方策を述べることが多い。しかし日本の場合は、そうはなりません。
中東に関しても、ハマスがイスラエルに大規模テロ攻撃をしたという事態の意味がよく理解できていないのでしょう。だからそれを受け、日本がどう対応すべきか、あるいは日本政府の対応のどこが間違っているのか、即時に反応できる議員がいない。だからこそ皆で口を揃えて、イスラエルとハマスの間でバランスをとるべきだとか、中東諸国を怒らせたら石油を売ってもらえなくなるから中立を保つべきだと主張する。彼らはバランスや中立を履き違えていることにすら気づかない。

**島田**　テレビでは、非論理的なハッタリが売り物の橋下徹氏が「ハマスは国家ではないので、イスラエルは国際法上、自衛権を発動できない」と力説していました。彼が国際法という言葉で何を指しているのか、よく分かりませんが、国際法の代表的なものは国連憲章でしょう。憲章は第51条で「加盟国に対して武力攻撃が発生した場合、個別的および集団的自衛権を発動できる」と明記しており、武力攻撃の主体に関して何ら限定していません。つまり、攻めてきた側が国家であろうがテロ組織であろうが、攻撃に対しては自衛権を発動できる。

ところが国連憲章すら読まない、こういう論外の人物ほどテレビ局に偏愛され、画面に登場し続ける。本来、立法を仕事とする国会議員から、マスコミの無責任を批判する声が上がるべきですが、そうならない。一般論として、抽象的に「国際法」を振りかざす人物はニセモノと見て間違いない。

**飯山**　イスラエルと日本は安全保障上、類似する立場に置かれています。両国とも周囲を敵に囲まれている。イスラエルの場合は北にヒズボラ、東にシリアのアサド政権、南にハマスがいて、それらがいずれもイランから資金と武器の供与を受けている。ロシアや中国、北朝鮮との協力関係もあります。

彼らの目指すところはただ一つ、イスラエル殲滅《せんめつ》です。殲滅とは、つまりイスラエルという国家を消滅させること、一掃することです。国際社会が考えているイスラエルとパレスチナの二国家共存とは、まったく異なる目標を彼らは抱いている。イスラエルは、自分たちの国を殲滅すると公言してはばからない組織や国家に取り囲まれているわけですね。日本と違うのは、海に取り囲まれているわけではないので、そんな敵国と陸続きで接しているということです。だからイスラエルは軍備を強化して、徴兵制をとっている。

軍事技術の開発にも余念がありません。敵の攻撃に応じるべく、絶え間なく技術開発を続けている。ハマスがロケット弾を撃ち込み始めたので、ロケット弾を迎撃するアイアンドームを開発した。ハマスがドローン攻撃を始めたので、今はドローンを迎撃するレーザー兵器を開発中です。日本はイスラエルと同様に危険な敵に囲まれているにもかかわらず、政府も国会議員もあまりにもぼんやりし過ぎているように見えます。

## 日本政府は現実を理解せずにパレスチナに金を配っている

**島田**　私はアメリカ研究を数十年続けてきましたが、日米の言論状況や政治家の意識と比べて大きく違うなと思う点の一つは、イランに対する認識です。日本では、イランは「伝統的な友好国。仲良くしないといけない」――それだけです。産油国だから刺激してはならないと考える人も多い。ところが日本は現在、石油をイランから買っていません。

**飯山**　まったく買っていません。

**島田**　中国は相当、買っている。イランのみならず、イランから石油を買う第三国も制裁対象としたトランプ時代には中国も輸入を控えていましたが、全方位宥和外交のバイデン政権に替わって以来、安心して買い入れを再開した。中国とイランは、ロシアも含めた「新・悪の枢軸」を構成するファシズム国家同士です。この3国は今や公然と連携を強めている。アメリカの保守派は、イランを「テロの中央銀行」と呼びます。

なお2015年のイラン核合意について共和党の上院議員は、「事実上の核兵器開発容認合意」だとして全員が反対しました。民主党でも、イスラエルの生存が危うくなると反対した議員は少なくなかった。だから上院の承認が必要な条約ではなく、大統領権限に基づく行政協定の形を取らざるを得なかったわけです。

ところが日本では歴代の首相、外相そしてほとんどすべての議員が、イラン核合意は「平和に向けたよい合意で支持します」と言い続けてきた。私は米共和党の認識が正しいと思います。なお、イランの現政権は核兵器開発後、完成品をハマス、ヒズボラなどのテロ組織に渡しかねない。ハマスの残虐ぶりに鑑《かんが》みれば、核兵器を手に入れた場合、彼らがイスラエルに対して使わないと考える理由はない。

**飯山**　躊躇なく使うでしょう。ハマスの恐ろしいところは、普通こんなことはやらないだろうということを平気でやってしまうところです。私はこれまで、世界で最も残虐なテロ組織は「イスラム国」だと思っていました。彼らは敵を捉えてカメラの前で斬首して見せたり、同性愛者を高い建物から突き落として処刑したりしてきた。しかしハマスは女性や赤ちゃんまでも、考えられないほど残虐なやり方で殺している。残虐さの点において「イスラム国」を数段上回ります。核兵器を持てば、その使用に躊躇はないでしょう。

**島田**　ハマスの幹部連中はカタールなど外国の安全地帯にいるわけですが、みな途轍《とてつ》もない大富豪です。各国からガザ地区に向けられた支援金を横領しているわけでしょう。ところが、上川外務大臣は新たに100億円を渡しますと言った。

パレスチナ自治政府と言えば、各種の国際支援金を幹部が着服するので有名です。あるいはイスラエルにテロ攻撃を仕掛けて命を落とした戦闘員の家族に年金を払う、といった形で国際支援金を使っているわけです。ところが上川氏および外務省は、「はい、追加で100億円」と何の疑問も持たずに我々の税金を献上した。理解できない感覚です。

**飯山**　日本はこれまでパレスチナ問題に関して、二国家解決を支持するという立場を表明し、多額の資金援助をしてきました。30年間に23億ドル、3000億円以上です。しかし日本政府にとっては、「かわいそうなパレスチナ」に日本は支援をしている、だから日本は偉いのだというポーズが重要なので、そのカネが実際にどのように使われているかについては、ほとんど全く検証してきませんでした。

島田先生がおっしゃるように、パレスチナ自治政府内には深刻な汚職がある。加えて自治政府はテロを促進する仕組みも内包しています。彼らはイスラエル人を攻撃したパレスチナ人や、その家族に対し、「殺しの報酬」と呼ばれる年金を支払う制度を持っています。イスラエル人を殺してもすれば周囲から英雄視されますし、もしそれでイスラエル軍に殺されたとしても殉教者として讃《たた》えられます。

日本のパレスチナ支援金の半分ほどは国連のパレスチナ難民救済事業機関（UNRWA）というところに支払われていますが、ここもまた腐敗とテロの温床です。

何人ものUNRWA職員がハマスによる大規模テロを称賛する書き込みをSNSでしていたことが確認されています。UNRWA職員がハマスが拉致した人を監禁していたという証言もあります。

UNRWAの運営する学校ではイスラエル人を憎み、殺すことを推奨するヘイト教育がさかんに行われている。日本がUNRWAに資金提供するということはすなわち、テロに資金提供していることになるという問題を、日本政府はまったく認識していません。

## アラブ諸国がいかにハマスを嫌っているかを日本人は知らない

**島田**　まずアメリカ保守派のスタンダードな議論を紹介して、飯山さんの意見を伺いたい。
今、ガザ地区に支援金や物資を単純に入れると、ハマスの連中に横取りされ、テロ活動に流用されてしまう。だから、ガザの一般住民を戦火から逃れさせる、助けるというなら、周りのアラブ諸国が難民として受け入れるのが最も手っ取り早いはずでしょう。そうなれば、アメリカはそれらアラブ諸国に支援金や物資を渡す。もし、受け取ったカネや物資を持ってガザ地区に戻ろうとする者がいれば、ハマスないしその協力者と見て拘束する。

ところが周辺アラブ諸国は、ガザ地区の住民を難民として受け入れようとしません。テロリストの「まぎれ込み」を警戒するからでしょう。言葉が通じるアラブ諸国ですら受け入れないという現実がある。ハマスに抵抗してきた確たる証拠がある人は積極的にアメリカが保護すべきだが、それ以外の人々については、「イスラエル非難、パレスチナ支持」を建前としてきたアラブ諸国が責任を持つべきだというのが米保守派の一般的認識だと思います。

**飯山**　アラブ諸国がいかにハマスを嫌っているかについて、知らない人が多いように思います。日本の「専門家」の中には、あたかもアラブ諸国がハマスの側に立ってイスラエルに参戦するかのように言って「第５次中東戦争」が起こるかのように不安を煽る人までいますが、そういう人はアラブの論理をまったくわかっていない。

たとえばガザと国境を接しているエジプトは、ハマスをテロ組織指定しています。というのも第一に、ハマスはエジプトのイスラム過激派テロ組織ムスリム同胞団のガザ支部だからです。ハマスがエジプトに入り込めば、必ず国家を転覆させるようなテロをすると彼らは知っている。しかもハマスは便衣兵ですから、見た目では誰がハマスなのか区別がつきません。女も子供も「ハマス・メンタリティー」を叩き込まれている。だから今回、いかにガザ住民が追い詰められようと、エジプトは1人たりとも自国内にガザ住民を受け入れようとはしないのです。例外は負傷者だけです。

エジプトは、ガザ難民受け入れは国家のレッドラインだ、とまで言っている。それほど危険だと認識しているのは、2011年の「アラブの春」の際、ハマスがエジプト国内に流入して、刑務所を襲撃し、収監されていたイスラム過激派を野に放ったり、警察署を襲って残忍なテロを繰り返したりした過去もあるからです。

その後エジプト政府は、ハマスが掘ったガザとエジプトをつなぐトンネルを水攻めにしたりして、対ハマス作戦を展開しました。イスラエル軍もハマスのトンネルに海水を注入する作戦をとりましたが、あれを最初にやったのはエジプト軍です。

エジプトだけでなく、周辺アラブ諸国にとってもまた、ハマスやガザのパレスチナ人というのは厄介な存在です。パレスチナをルーツに持つ人たちですら、パレスチナ難民を受け入れようとはしない。どこの国もパレスチナ難民を受け入れようとしない現実から、彼らの認識を読み解くことができます。

## 岸田外交は、無知が生んだ「全方位嫌われ外交」だ

**島田**　イスラエルとパレスチナの二国家併存案が1993年のオスロ合意以来、基本枠組とされていますが、併存の具体的な形については様々な意見があります。

ちなみにアメリカでもユダヤ人すなわちユダヤ教徒は、それほど多くない。ただし、いわゆる福音派、エバンジェリカルのクリスチャンが基本的にイスラエル寄りの立場を採る。

**飯山**　イスラエルという国家の存在を守らなければならないという、宗教的な信念があります。

**島田**　イスラエル・パレスチナの二国家共存という場合、日本ではいわゆるガザ地区とヨルダン川西岸をパレスチナの独立国家とし、他はイスラエル領になるという単純なイメージで受け止められている。しかし現実は、そう簡単ではない。

確かにガザ地区についてはＢ２００６年にイスラエル軍が完全撤退し、ガザ地区に住んでいた８０００人程度のイスラエル人も全員引き揚げました。イスラエルの治安部隊がいなくなった結果、ハマスが一般住民を「人間の盾」とする形でテロの根拠地とし、２０２３年10月の残虐極まりない対イスラエル攻撃を実行したわけです。

ヨルダン川西岸のほうは、イスラエル軍がかなり駐留している。確かイスラエルの一般住民も10万人以上はいる。

**飯山**　はい、入植しています。

**島田**　ヨルダン川西岸というと、日本のマスコミでは、アラブ系パレスチナ人の土地をイスラエル軍が占領しているとの認識が一般的です。しかしアメリカのユダヤ教徒や福音派キリスト教徒の間では、あそこは占領地ではなく係争地であって、太古の昔からユダヤ人も住んでいたとの意見が根強い。現在、ユダヤ人が入植している地域の大半は、先住アラブ人を追い出したのではなく、無主の地をイスラエル人が切り開いたと見る。

だから「ヨルダン川西岸地区」ではなく「ユダヤ・サマリア地区」という言い方をしますね。イスラエルが占領している外国の土地ではなく、イスラエル人も所有権を主張できる地域だとの認識です。

トランプ政権が独自の分割案を公表しましたが、西岸の一部をイスラエル領とする代わりに現在のイスラエル領の一部をパレスチナ側に引き渡す複雑な叩き台でした。

ヨルダン川西岸はイスラエルが立ち退くべき占領地という認識は、解決につながらない浅いもののように思いますが、どうでしょうか。それにイスラエル軍が撤退すれば、ガザ地区同様、ハマスが取って代わって一般住民を「人間の盾」にし、テロの根拠地にするかもしれない。

**飯山**　日本の「専門家」やメディアは、パレスチナはかわいそうな弱者、イスラエルはパレスチナを占領する強者にして悪、という形式でしかパレスチナ問題を論じません。どのような現実も、この雛形、形式に合うように歪曲《わいきょく》して伝えられたり、論じられたりする。現実には、パレスチナ人を抑圧し、蹂躙しているのはハマスです。パレスチナ人がかわいそうなのは、ハマスが彼らを人間の盾として利用し、彼らから搾取しているからです。しかし日本では、この問題はなかったことにされ、諸悪の根源はイスラエルだとされている。

イスラエルとパレスチナの間には、土地の問題はあります。しかし、土地の問題は双方で話し合いによって解決しよう、というのが国際的な合意です。

イスラエルが占領しているからパレスチナは追い詰められ立たざるを得なかったんだ！

という「専門家」の解説は、単にハマスのテロを正当化しているにすぎません。土地の問題をテロ容認論にすり替えてはならない。

**島田**　領土問題があるから「テロも理解できる」と言い出せば、国際秩序は成り立たなくなる。

イスラエル側にも、かつてアラブ諸国に追い出され、土地家屋を奪われたと主張する人々はいます。現状の変更や調整は対話を通じて、が文明社会の基本でしょう。

**飯山**　そうです。だからこそ、土地の問題とハマスのテロは分けて考えなければならない。占領されているからテロも致し方なし、というのは完全にハマスのロジックです。そんなものに与《くみ》していいはずがありません。

**島田**　イランに関して言うと、数十年来イランと北朝鮮は核ミサイルを共同開発してきた。イランの舎弟と言ってよいシリアのアサド政権による秘密核開発、これも北朝鮮の核技術者が現場で協力していました。証拠写真も出ています。イランは、ロシアにもウクライナ侵略用のドローンなど攻撃兵器を提供してきました。どこから見ても日本にとって敵性国家です。

ところが、「イランは伝統的な親日国家」が日本の政財官界の決まり文句で、G7で最もイランと友好関係にあるのは日本だから、欧米との橋渡し役ができるなどと言う。

**飯山**　できるはずがありません。

**島田**　安倍首相もトランプ時代にイランを訪れて最高指導部と会い、調停を試みた。まさにその滞在中に、イラン革命防衛隊が日本のタンカーを攻撃しました。アメリカの同盟国である限り、常にこうした扱いを覚悟せよという世界に向けた冷笑的なメッセージでした。ポンペオ国務長官（当時）が回顧録に、こう書いています。

「最大限のプレッシャーを掛けるというアメリカの意志は揺るぎないものとイランに確信させる上で、安倍首相は世界のどのリーダーよりも適任だと私は考えた。…偉大なリーダーを世界から奪った彼の暗殺は、いまだに私を悲しませる。…彼がイラン訪問計画を相談してきた時、私は、調停は大いに結構だが、トランプ大統領がイランの要求に屈する可能性はゼロだと述べた。安倍は全力を尽くした。イラン側は、まさに安倍が訪れたその日に日本船を攻撃することで謝意とした。安倍はまもなく調停努力を止め、あなたの停止サインを無視して申し訳なかったと述べた。彼は、とりわけアヤトラに対して宥和政策は効かないことを学んだ。」

安倍さんのコメントを聞けないのは残念ですが、アメリカ保守派の認識は以上のようなものです。

**飯山**　それが客観的な評価です。

**島田**　安倍さんですら成果を出せなかったのだから、岸田氏、上川氏のレベルがイスラエルやイランをめぐって仲介外交を展開するとか、あり得ない話でしょう。

**飯山**　仲介どころか、私は最近、岸田政権の外交のことを「全方位嫌われ外交」と言っています。

**島田**　私は「全方位土下座外交」と呼んでいます。

**飯山**　「バランス外交」と言って中立を装い、バランスをとることが目的化した結果、全方位に嫌われているのが岸田外交の現状です。全方位というのは、G6に代表される自由民主主義諸国、原油輸入を頼っているアラブ産油国、「伝統的友好国」と呼んで媚を売り続けているイラン、そして奇妙に忖度しているハマス、そのいずれからも日本はバカにされたり、嫌われたり、挙句の果てに武力で攻撃までされています。

**島田**　全方位から舐《な》められ、カネを取られ、適宜《てきぎ》見せしめの対象にされるだけです。

**飯山**　結局、今の中東の現状、諸国間の関係、力学、そういったものを理解せずに、50年前から続く「とにかく石油を確保するために産油国に媚《こ》びろ！」という中東外交の「大方針」にすがりついているだけです。現状を客観的に理解すれば、50年前の外交方針を今も続けていることの愚かさに気づくはずなのですが、それをしない。事実から目を背け、前例踏襲を続けて滅びの道をひたすら進んでいる、それが日本の中東外交です。

## テロ組織に対して、話し合いなどは無意味だ

**島田**　日本外交で言えば、北朝鮮とイランはほぼ同時期に核ミサイル開発を始めた。ところが北朝鮮はすでに核兵器を完成させて配備段階に入っていますが、イランはまだです。イランのほうが遥かに資金力があるのに、なぜそうなるのか。要するにイランの場合、イスラエルが物理的に阻止してきたからです。

例えば、イランの核科学者を自動小銃の遠隔操作などの手法で殺害したり、スタックスネットと呼ばれるコンピュータ・ウイルスをドイツ・ジーメンス社製の部品に仕込んで、ウラン濃縮用の遠心分離機を誤作動させたり、力ずくで止めてきたわけです。

アメリカもトランプ時代の２０２０年１月には、対外テロ部門のトップで、イランの実

質ナンバー2とも言われたソレイマニ・革命防衛隊コッズ部隊司令官を、攻撃型ドローンを用いて殺害しています。無法者は力で排除するというメッセージを最も強力な形で送った。具体的な作戦形態は別として、日本が本来学ぶべきは、そういう姿勢でしょう。

**飯山**　私も、そう思います。

**島田**　イランの革命防衛隊とか、あるいはハマス、ヒズボラ、アルカイダ、イスラム国、北朝鮮などどみな性格は同じです。話し合いが通じる相手ではない。殺《や》るか、殺られるかの世界です。

どうでもいい例ですが、自民党の参議院議員で自称国際政治学者の猪口邦子氏が、20 01年の米同時多発テロの直後にワシントンであるシンポジウムに出て、「今こそアメリカはアルカイダと話し合うべきだ」と力説して、怒りと失笑を買ったと聞きました。岸田・上川外交を見ていると、つい猪口氏を思い出してしまう。

**飯山**　そうですね。本当に停戦を求めるならば、今もイスラエルに対する無差別テロ攻撃を続け、人質を拉致したままのハマスに言うべきなのです。イスラエルの国連大使は、停戦、停戦と言う人はここに電話してくださいと言って、ハマスのガザ地区指導者であるシンワールの携帯番号を公開していましたよ。

**島田**　基本的なファクトとして、中東で自由民主制が定着している国はイスラエルぐらいでしょう。パレスチナ自治政府と言うが、トップのアッバース議長（外務省は大統領と表記）は選挙もせず、長期間、居座っていますね。

**飯山**　そうですよ。もう、20年間も、あの場に居座っている。

**島田**　党代表選は「票集め合戦」を生むので民主主義に反する、と倒錯した論理を持ち出す共産党の志位「滅裂」委員長と似ていますね。

**飯山**　パレスチナ自治政府のトップの座に君臨し続けるために、選挙を勝手に「延期」しています。

**島田**　要するに、パレスチナ人に選ばれた代表と言えないわけですね。

**飯山**　選ばれたのは20年前で、とっくに任期は切れています。アッバースだけではありません。パレスチナ自治政府の代表として日本にいるワリード・シヤムという人物がいますが、彼も20年この座に居座り続けています。彼はいわばパレスチナの「大使」ですから、一国の大使が20年替わらないのはおかしいと、誰でも気づくでしょう。彼ら自身が自治政府の腐敗の象徴です。

## 第5次中東戦争の可能性は限りなく低い

**島田**　これまでの話で、日本政府の中東認識や対応がいかに的外れかが明らかになったと思います。

そこで日本の外務省ですが、例えば同省OBで現役時代に中東外交にも関与した宮家邦彦氏を飯山さんは厳しく批判しています。私も、宮家氏の言動には首を傾げることが多い。最近は彼の文章は読みませんが。一つ例を挙げると、トランプ時代にアメリカがエルサレムを首都と認め、大使館も商都テルアビブから移しました。正確に言うと、その趣旨で1995年に米議会を圧倒的多数で通過しながら（上院で賛成93反対5、下院で賛成374反対37）、実施が延期されてきた「エルサレム大使館法」を実行に移したわけです。

2017年12月に、トランプ政権がその方針を発表したとき、宮家氏は「まさか本当に実行するとは思わなかったので、文字通り言葉を失った。…この決定は米国外交上の大失敗であるだけでなく、中東地域の混乱と米国という国家のクレディビリティ（信用）失墜に拍車をかけるだろう」と産経新聞のコラムに書きました。

ところが現実には、目立った混乱は起きなかった。しかも、アメリカの信用が地に堕《お》ちるどころか、その後、トランプ政権の仲介でバーレーン、UAEなどの湾岸アラブ諸国とイスラエルの国交正常化が実現した。アブラハム合意と呼ばれます。宮家氏の主張と予言は、彼の言葉を借りれば「言葉を失う」ほどの間違いでした。

**飯山**　彼は今のアラブ諸国とイスラエルの関係を理解していないか、理解していてあえてウソをついているかのどちらかでしょう。外務省出身の「専門家」の中東認識は、1973年のオイルショック時代の中東認識のままであることが多い。

**島田**　なるほど。

**飯山**　第5次中東戦争が起こるかのようなことを言って不安を煽る「専門家」もいますが、その可能性は限りなく低い。なぜなら50年前ならば、アラブ諸国にとってイスラエルは完全に敵でしたが、今は違うからです。彼らにとっての敵は、イランです。イランは核武装してアラブ諸国を打倒しイスラム革命を輸出しようとしている。しかしイスラエルは、アラブ諸国を打倒しようなどとは考えていない。アラブはそれを知っています。

そしてハマスはイランの手下です。だから、彼らがハマスに加勢してイスラエルと戦うわけがない。

**島田**　2023年10月以来のガザにおけるイスラエルの軍事作戦は、言うまでもなく、ハマスがきっかけをつくった。さらに言えば、宣伝戦のために招き入れたものです。

**飯山**　ハマスがイスラエルの民間人を標的に大規模なテロ攻撃をしてきた。これが最初です。日本では知られていませんが、ハマスはその刃をアラブ諸国にも向けてきた。アラブ諸国にとってもハマスは危険なテロ組織です。

ハマスとイランは共に、君主制や大統領制を敷いているアラブ諸国を、体制ごと転覆させ、すべてをイスラム体制で塗り固めることを目標にしています。アラブ諸国はそれをよく知っている。「第5次中東戦争！」などと言っている「専門家」は、日本人の「無知」を利用して不安を煽っているのです。実に悪質です。

## 日本のメディアは「イスラエルの朝日新聞」の引用ばかり

**島田**　ハマスの対イスラエル・テロの背後にはイランがいる。具体的にどこまで指示したかは別にして、兵器や資金の提供など、ナンバー1スポンサーであるのは間違いない。イランの狙いの一つは、イスラエルとサウジアラビアの国交正常化を妨害することだったと言われますが、飯山さんの見解はいかがですか。

**飯山**　イスラエルとサウジの国交正常化交渉を遅らせることはできたでしょうが、サウジはハマスの大規模かつ、とてつもなく残虐なテロを見て、やはりイスラエルと国交正常化しなければならないと逆に意識を強めたと思います。

**島田**　先ほど宮家邦彦氏の間違いを話題にしましたが、日本の外務省だけでなく、アメリカの国務省も同様の間違いをよく冒《おか》します。エルサレムへの米大使館移転に反対し、様々な形で潰しに掛かりました。ポンペオ国務長官やデビッド・フリードマン元駐イスラエル大使の回顧録に鮮やかに描かれています。トランプ大統領が移転の断を下してからも、極力作業を遅らせようとした。

結局、在エルサレム米公使館の敷地内に設置する形で、1年で大使館移転は完了したわけですが。だから、アメリカの外交エスタブリッシュメント（既存エリート層）も基本的に事なかれ主義がデフォルトの姿勢です。なお、アメリカのユダヤ人社会にも宥和主義者は少なくない。

**飯山**　「イスラエルのユダヤ人と、我々を一緒にしないでください」と公言する人たちはいますからね。

**島田**　イスラエルももちろん報道の自由がある国だから、宥和的論調の新聞もあるでしょう。

**飯山**　イスラエルの代表的なリベラル紙がハアレツです。ハアレツは日本でいうと朝日新聞のような立ち位置です。ところが日本のメディアは「イスラエルの論調」としてハアレツしか引用しません。

**島田**　アメリカでいえば、ニューヨーク・タイムズみたいなものですね。

**飯山**　ハアレツの読者はイスラエルでも少ない。しかし日本のメディアは、そのハアレツこそがイスラエルの主要メディアであるかのように扱い、いつも引用します。

**島田**　確かにそうですね。お互い体質が似ているせいでしょうか。米国務省に話を戻すと、職員のほとんどは民主党の支持者です。だから、イランに宥和的なバイデン政権とは息が合う。

そして、アメリカの主流メディアは、ニューヨーク・タイムズ、ワシントン・ポスト、三大テレビネットワーク、ＣＮＮなど大部分が民主党の応援団なので、トランプ大統領やネタニヤフ・イスラエル首相の政策に不当に厳しい。ちなみに宮家氏は「一日中CNNをつけっぱなしにしている」と胸を張っていました。

**飯山**　そうなんですか。

**島田**　よく分かる話です。

## 日本のメディアも学者もおそらく、世界で一番偏向している

**島田**　日本のマスコミが国際問題専門家ともてはやす人々の情報源は、国務省とか、リベラルメディアとかに相当偏っている。そこで「中東専門家」ですが、池内恵《さとし》という人の、特に飯山さんに対する常軌を逸したヘイト、セクハラ言動が問題になっています。ついでに時々、私の批判もしているようです。

**飯山**　私の研究室の先輩ですね。

**島田**　どの程度の人ですか？

**飯山**　池内氏は東大の先端科学技術センターの教授で、そのセンター内にROLESとい

うシンクタンクを立ち上げ、外務省の補助金を億単位でもらっている人です。池内氏は岸田政権の中東政策を擁護する発言をしています。

**島田**　それだけで方向感覚も知的誠実もないと分かります。

**飯山**　池内氏は「イスラエルという国は『正当性の窓（Window of Legitimacy）』という概念によってパレスチナ人大量虐殺を正当化する、そういうグロテスクな国なのだ」と言っていました。ハマスの残虐でグロテスクなテロからは目を背け、いや、グロテスクなのはイスラエルなのだと言って非難の矛先をイスラエルに向ける。そのために、「正当性の窓」という全く一般的でない概念を持ち出し、イスラエルではそれがさも常識としてまかり通っているかのように主張している。

**島田**　グロテスクな主張ですね。

**飯山**　英語の記事でこの言葉が使われているのは見ましたが、だからといって「正当性の窓」という概念によって、イスラエルでパレスチナ人虐殺が正当化されている、だからイスラエルというのはグロテスクなんだという論を展開するのは無理があります。池内氏は、同じく国際政治学者の小泉悠氏や東野篤子氏に対してこの論を主張していたわけですが、彼らがただただうなずいて、池内氏の話に納得していたのには驚きました。

**島田**　日本の自称「国際政治学者」は大抵、知的勇気を欠くニセモノです。自分の頭で何も考えていないし、腹もない。私は『正義のミカタ』という朝日放送の番組に、高橋和夫という放送大学名誉教授と一緒に出たことがありますが、川柳調のセリフで受けを狙ってすべっていたという記憶しかないですね。

**飯山**　池内氏は高橋氏を尊敬していると、以前から公言しています。

**島田**　その番組でイラン核合意が話題になった。私にも振られたので答えましたが、イラン核合意は、オバマ政権が譲歩に譲歩を重ね、核廃棄どころか凍結ですらない、核活動の一部制限と引き換えに制裁の大半を解除した、宥和政策の典型です。

**飯山**　何もできないのですから。

**島田**　イランが保有する濃縮ウラン製造用の遠心分離機約2万本のうち、5000本は動かし続けてよい。残りも廃棄ではなく、イランが保管するのを認めるという内容です。しかも、10年から15年の期限付きで、それ以降は自由に核活動ができる。

**飯山**　サンセット条項ですよね。

**島田**　パキスタンが核兵器をつくるのに要した遠心分離機の数が、3000本です。5000本は、その2倍近い。だからアメリカでは、共和党の全上院議員のみならず民主党の一部議員も反対した。検証規定も穴だらけです。トランプ政権はこの合意から離脱し、対イラン制裁を強化した。私は正しい対応だったと思います。高橋氏は違う意見のようでしたが。

**飯山**　高橋和夫氏はイラン大好き「専門家」の代表格で、自著で「世界には国家として認めるべき立派な国は二つしかない。それは中国とイランだ」というようなことを述べていたくらいです。

**島田**　そこまで言っていましたか。

**飯山**　しかしその彼が放送大学教授として、放送大学で中東講座をずっと担当してきたわけです。そして中東で大きな戦争が起こると、テレビは必ず高橋氏を解説に呼ぶ。高橋氏はイラン大好きですから、当然、イランの子飼いであるハマスも大好きで、これまたイランが支援しているアルカイダ好きでもあるわけです。こうしたイデオロギー的偏向が顕著な人が、日本の中東研究の第一人者として何十年もテレビに出続けて中東について解説しているわけです。日本の中東報道が偏向しているのは当然です。

**島田**　日本のアメリカ報道も同レベルですが（笑）。イランと中国に関して言えば、イランが中国の体制に憧れている面はあるでしょう。中国は自由を抑圧しつつ、資本主義のエネルギーを部分利用するファシズム体制のもとで経済発展した。先進国からテクノロジーを窃取したからこそでもありますが、世界中の独裁政権にとっては一種の理想像です。

ただ、このところ中国も経済が失速して、うまく行けば体制崩壊するかもしれない。それはさておき、TBSがテロリスト重信房子の娘を解説者の位置づけで出演させていました。あくまでハマス寄りの人間のコメントとして、イスラエル側の言い分と並べて引くなら分かりますが、明らかに倫理観を欠く番組づくりです。いつものことではありますが。

**飯山**　日本のメディアの中東報道は左寄りのアメリカのメディアより、さらに左寄りで、かつ、さらに一方的です。アメリカのCNNにせよイギリスのBBCにせよ、基本的にはハマス寄り、パレスチナ寄りの報道ですが、それでもイスラエルの政治家や報道官、イスラエル軍関係者なども出演させ、イスラエルの主張というのも放送する。日本には、それすら一切ありません。ひたすらハマスに寄り添い、ハマスのテロをなかったことにし、「残虐なジェノサイドをやっているのはイスラエルだ！」とイスラエルをひたすら非難する。

**島田**　アメリカのメディアでは、反イスラエル左翼もよく使うが、共和党のテッド・クルーズ上院議員などイスラエルを強く支持する政治家もよく登場します。日本よりマシでしょう。バイデン政権の外交スポークスマン代表と言えるブリンケン国務長官も、リベラル派ですが、ユダヤ系ですね。

**飯山**　完全にユダヤ人ですよ。

**島田**　ハマスの背後にはイランがいるだろうと問われると、曖昧《あいまい》ではあるけれどもイエスに近い答えはする。アメリカでもう一つ問題なのは大学、特にリベラル派主導の名門大学です。イスラエルこそ虐殺者という言説がキャンパスに横溢している。大学当局はそれを放置している。

２０２３年末に議会公聴会に呼ばれ、「ユダヤ人抹殺」を唱えるのは校則違反ではないのかと問われたペンシルベニア大学とハーバード大学の学長が、「行動に移さなければOK」との趣旨を答えて、保守派から強い非難を浴びました。ペンシルベニア大の学長は直後に、辞任に追い込まれ、ハーバード大の学長も、相当粘りましたが、自身の論文盗用疑惑も絡んで、結局、辞表提出を余儀なくされました。

後者は、業績を聞いたことがない「差別問題を専攻する政治学者」で、黒人女性でなければ学長就任はおろか教授採用もあり得なかったというのが大方の見方です。最後はリベラル派のニューヨーク・タイムズ、ワシントン・ポストでさえ総長辞任を求める論説を掲げました。いかにもポリコレ左翼の牙城ハーバード大らしい事件だったと言えます。

同様の問題を抱えたコロンビア大学に関しては、こういう話があります。北朝鮮から韓国に逃げた若い女性が渡米して同大学に留学した。ところが授業を聴いてみると、北朝鮮よりも反米的な内容なので驚いた。アメリカの大学の社会科学系は、日本もそうですが、左翼の教員が非常に多い。

## 合理的でない反権力には社会正義病がある

**飯山**　私はここに、いわゆる「社会正義」病をみてとります。ミシェル・フーコーやジャック・デリダといったフランスの知識人が提唱した「社会の全ては権力構造で成り立っている」という「理論」に基づくと、強者、権力者は常に悪人であり、それを倒すことはすべて「正義」だということになる。

**島田**　なるほど。

**飯山**　権力を発見し、権力者を悪だと認定し、同時に権力を持たない者、弱者を正義だと規定する。そこから、弱者は強者、権力者を倒すためならば何をやっても許されるという

「社会正義」論が生まれ、今まさに、西側諸国でそれが暴走しています。

**島田**　ＬＧＢＴイデオロギーやブラックライブズマター（黒人の命は大事）の過激化を伴った利権運動化も、その一種です。

**飯山**　私はこの「社会正義」病が、アメリカだけでなく日本社会も蝕《むしば》みつつあると危惧しています。

# 第2章

# バイデン政権はアメリカと世界に何をもたらしたのか

## バイデン政権の失政が中東の混乱を招いた

島田　バイデン政権が何をもたらしたか。これは、まさに今の中東の状況も絡んできます。バイデン政権の間違った政策は実にたくさんありますが、最大のものの一つは、やはり脱炭素原理主義。

石油産業を地球に害をなす悪の産業と規定し、米国内の石油、天然ガスの採掘に各種のハラスメント的な規制を科しました。同時に、国際的な新規採掘投資も鈍らせた。これが特にサウジアラビアを怒らせました。中東における重要な戦略パートナーとの関係を不必要に悪化させたわけです。

トランプ時代のアメリカはほぼエネルギー自立を達成し、世界最大の産油国になりました。人間活動による炭素排出が地球温暖化をもたらすという説は非科学的で、地球外の要素や海洋の動きも考えねばならない、無理のない範囲でエネルギーを効率的に利用することで自然に炭素を減らせばいい、というのがトランプ政権のみならず共和党に共通した考えです。

ところがバイデン政権になって、脱炭素原理主義に迎合し、「気候変動こそが安全保障上最大の脅威。この問題の解決に当たっては中国も「パートナー」という姿勢に転じた。その結果、中国の協力を得るためとして、台湾問題、最先端テクノロジー規制問題などで、中国の意向に配慮する局面が増えた。とんでもない間違いで、言うまでもなく安全保障上最大の脅威は中国共産党政権です。

仮に中国が「踏み込んだ脱炭素」を約束しても、守るはずがない。習近平が国家統計局長を呼んで「おまえ、数字をいじっとけ」で済む体制ですから。実は、この問題で対中交渉を担当するジョン・ケリー気候変動問題大統領特使も、そのことは分かっている。さらに言えば、早期に火力発電所を全廃し太陽光、風力に置き換えるといったバイデン政権の公約も、共和党の反対で実現しないと見込んだうえでの左翼迎合と言って過言でない。

現に必要予算が通っていないし、この先通る見込みもない。端的に言えば、炭素排出量1位の中国と2位のアメリカが「踏み込んだ脱炭素」で合意したから、各国も足並みを揃えろと国際的圧力を掛けるための米中談合です。あらかじめ梯子を外すつもりで、日本以下をたぶらかす作戦と言ってもよい。

菅義偉首相や小泉進次郎環境大臣は、他愛なく嵌められましたが、産油国であるサウジアラビアは強く反発し、まったくバイデン政権を信用しなくなった。国際的に石油の安定供給が崩れ、ガソリン価格が急騰したため、２０２２年の中間選挙の直前にバイデン大統領が態度を豹変させ、サウジに供給増加を懇願したが、無視された。しかも、先に触れた通り、トランプ政権が強化した対イラン制裁をバイデン政権は次々と緩めた。サウジやイスラエルから見れば、バイデン政権は論外の存在でしょう。

**飯山**　バイデン政権はイラン宥和政策で一貫しています。

**島田**　中国はトランプ時代にはイランから石油を買わなかった。アメリカの第三国制裁を恐れたからです。ところがバイデン政権になって、安心して買っている。イランに相当な資金が流れ込み、それがハマスやヒズボラにテロ資金として回された。

トランプ政権のソレイマニ除去作戦についてもバイデン（当時大統領候補）は、「自分が大統領だったら、ああした命令は出さなかった」とオンで語りました。イランとしては、バイデンがアメリカ大統領である限り、憂《うれ》いなくテロに邁進《まいしん》できると考えたでしょう。

アフガニスタンからの米軍撤退も、バイデンが政治日程を優先し、統合参謀本部の反対を押し切る形で急がせたため、潰走《かいそう》というべきひどさとなった。

特にアフガン政府軍が制空権を確保するうえで重要なバグラム空軍基地から、米軍が整備会社の従業員も含めて慌《あわただ》しく撤収したのは、明らかな愚策でした。タリバンの地上移動を容易にしたうえに、米軍協力者や亡命希望者の空の脱出口もカブール国際空港のみとなってしまった。その結果多くの人が取り残され、タリバンによる報復や弾圧の犠牲となりました。

ハマスも、トランプ時代には、あれだけ暴虐なテロには出なかった。スポンサーのイランが締め付けられたことが大きかったと言えます。プーチンも露骨な侵略は控えていた。今や国際反社勢力は、みなバイデンを舐め切っている。

**飯山**　中東情勢の悪化の背景にもバイデンの失策があります。例えばバイデンは2021年に大統領に就任しましたが、就任直後にやったことの一つがフーシというイエメンの武装勢力のテロ組織指定解除です。フーシは、イランから資金・武器を供与されているイラン子飼い勢力の一つです。だから、フーシのテロ組織指定解除はわかりやすい、イランへの「おもねり」のサインだったわけです。

テロ組織指定解除されたフーシは何をやったかというと、やおらサウジやUAEへの攻撃を強化した。サウジやUAEがバイデン政権を見限った背景です。

バイデンは就任後から、イランに対する制裁も徐々に解除していった。それによりイランの財政は豊かになり、それに比例してイランのハマスに対する支援も増加しました。10月7日にハマスが前例のない大規模なテロ攻撃を開始したのには、こうした背景があります。

**島田**　イランはバイデンのおかげで、随分と財政的に持ち直しましたね。

**飯山**　バイデンがイランへの制裁を緩和するのにともなって、中国が平気でイランの石油を買うようになったのが大きいですね。しかしイランはいくら財政が黒字になっても、それを国民生活を豊かにするためには使わない。そうではなく、ハマスやフーシのような子飼いのテロ組織により多くのカネを渡し、それでテロ攻撃を促進する。彼らはこのテロ攻撃を「抵抗運動」と呼びます。アメリカ帝国主義、占領国家イスラエルに対する正当な「抵抗運動」なんだといって、ひたすらテロをやるわけです。

**島田**　バイデンは、オバマ政権がまとめ、トランプが離脱したイラン核合意に戻りたい。しかしイランが核開発を加速させるなか、与党民主党も含めて議会の抵抗が強まっている。だから合意内容の微修正をイランに働きかけるべく、仲介を、こともあろうにロシアに頼んだ。

そうした背景もあってプーチンは、ウクライナに侵攻してもバイデンは強く反応はできないと見切ったように思います。バイデンの不見識の悪影響は実に大きい。

## トランプには、口先だけではない抑止力があった

**飯山**　トランプ政権時代は、テロ組織にしても中東の独裁国家にしても、一線を越えたら米軍にやられるという恐怖が共有されていました。実際トランプ政権は、シリアのアサド政権が一般人殺戮のために化学兵器を使用した疑いが濃厚になったとき、シリアにミサイルを撃ち込んだ。これはアサド政権に対し、「お前たちはレッドラインを越えた。これを続ければお前たちの国を我々が破壊する」という警告と受け止められたわけです。それがその後、抑止力として機能することになる。

ところがバイデン政権にはこれがない。アメリカの抑止力がまったく効かないからこそ、中東で大規模な戦争が勃発してしまうわけです。

**島田**　トランプは「予測不能な男という世評を抑止力に使う」と公言していました。しか

し単なるハッタリでは遠からず見抜かれる。飯山さんが言われたシリア空軍施設へのトマホーク撃ち込みも、ちょうど習近平の訪米中に実行しました。「中国が牽制してくれると思っても無駄だぞ」というテロ勢力に向けたメッセージともなったわけです。

トランプはまた、大統領権限をフルに用いて、中国に対する最先端テクノロジー規制を加速度的に強めた。アメリカ経済に多少の跳ね返りがあっても制裁発動を躊躇しない、と行動で示したわけです。

**飯山**　ソレイマニ殺害だって、あれは大変な話。彼はイランの対外テロのトップです。

**島田**　イスラエル情報部も水面下で殺害作戦に協力したようですが、トランプ政権に対する信頼感があったからこそでしょう。それがバイデンに対してはない。いつ梯子を外してくるか分からない。

ハマスの大規模テロに関して、イスラエル情報機関の責任も問われています。確かにピンポイントの情報をもとに、待ち伏せしてハマスの戦闘員を殲滅できれば理想的だった。しかし、事はモサドやシン・ベト（イスラエル総保安庁）など情報機関の責任にとどまりません。テロ勢力を強大化させ、活性化させたバイデンの戦略的誤りが問われなければならない。

**飯山**　イスラエル国内にも、ネタニヤフ政権の責任を追及する左派政治家やメディアなどがいますが、今回のハマスのテロは、そういった責任論に矮小化していいような問題ではありません。彼らは１２００人以上を惨《むご》たらしく殺した。ハマスは生きている妊婦のお腹をナイフで切り裂き、胎児を取り出し、その胎児を斬首し、妊婦も殺し、それを全て自ら映像に記録した。ハマスの残虐さは、ハマス自身が記録し、証明しています。しかもハマスは、何度でも10月７日を繰り返すと宣言している。イスラエルが国家存亡を賭けてハマス殲滅作戦に望まなければならない、この切実な現実を、日本のメディアや「専門家」は隠蔽し続けています。

## ここのまま甘い状態だと経済難民が日本に集まってくる

**島田**　さらにバイデンの途方もない失敗と言えるのが、不法移民対策です。２０２１年１月の政権発足以来、２０２４年初頭時点で約９００万人の不法越境があり、なお増加中です。トランプ政権の国境管理を「非人道的」と批判したバイデンの、偽善的で甘い対応の結果です。最近は中国人越境者も急速に増えています。

**飯山** そうなんですか。どこから入ってくるんですか？

**島田** 太平洋岸に位置してビザが不要な中米のエクアドルが進入口のようです。まずエクアドルに入国したうえで、陸路メキシコに移動し、アメリカに入る。2023年8月には月間4000人を超えました。見つからずに入境した人を入れると、数字はさらに膨らむでしょう。中国政府が送り込んだ工作員も含まれると言われます。

**飯山** それはいるでしょう。

**島田** アメリカ入国時には工作員でなくとも、中国政府に知られれば、家族が人質に取られ、工作活動をするよう迫られます。

日本でも、埼玉県川口市のクルド人問題などが先鋭化してきている。この問題も、日本の報道は非常に偏っていて、東京新聞などが最悪の例ですが、かわいそうだから本国に送り還してはならないという論調がかなり見られます。

**飯山** 日本の「リベラル」なメディアは、日本の権力の象徴として入管を位置付け、入管を批判する道具としてクルド人を利用してきました。メディアがクルド人擁護を続けている間に、埼玉県川口市にクルド人が集住し、問題を起こすようになった。

**島田**　アメリカが共和党政権に替われば、国境管理は間違いなく強化されます。中国人などは手近な日本に一斉に方向転換する可能性がある。クルド人のケースは、顔つきも一見して違うイスラム教徒ということで、とりあえずクローズアップされていますが、潜在的には氷山の一角でしょう。

よく聞かれるのが、トルコから来たクルド人は、送り還されると本国で弾圧される、だから難民として保護しないといけないという議論です。クルド人は「国を持たない最大の民族」と言われ、中近東の数カ国に分住していますが、シリアの難民キャンプにいるような人々については、アメリカも難民として受け入れるケースがある。しかし、ＮＡＴＯの一員でもあるトルコのクルド人については、アメリカは基本的に難民認定しない。その点、日本はバイデン政権以上に甘いのではないでしょうか。

**飯山**　実際に、トルコから来たクルド人で、日本で難民認定された人はほとんどいません。なぜなら、クルド人はトルコで迫害されていないからです。

**島田**　今、イギリスやイタリアも不法移民に厳しく対処し始めていますね。となると、世界中からどこか先進国への移住を目指す場合、一番甘い国、すなわち日本に行こうとなりかねない。クルド人のケースは、その先駆けでしょう。

日本は海に囲まれた島国だから大丈夫、と考える人もいますが、正規のビザで入ってきて滞在期間が過ぎても居座るという形なら、海は何の障害にもならない。そうした危機感が、日本の報道では希薄です。

**飯山**　危機感どころか、日本経済新聞に至っては「難民は人材」だと言い始めています。難民の中には素晴らしい能力を持った人たちがいるので、日本はどんどん難民を受け入れようというわけです。

**島田**　日経は財界、財務省、中国政府と相当な癒着関係にあります。企業は、外国人を目先の安い労働力とのみ考えがちです。福祉は政府に税金で見てもらおうという身勝手な話で、これは先進国の経済界に共通の現象です。アメリカのウォール・ストリート・ジャーナル紙も、基本的に保守的で立派な論説が多いが、移民に関しては経済界寄りで、歓迎調の文章が目立つ。

アメリカの左翼方面は無責任な国境開放論、すなわち「世界人類皆兄弟。進んで受け入れよう」論が一般的です。米民主党にアレクサンドリア・オカシオ・コルテス（略称AOC）という極左のヒロイン的政治家がいますが、彼女などは、難民申請をした段階で、不法滞在者ではなく「許可を待つ合法滞在者」となるのだから、即座に就労を認めるべきだと主張しています。

**飯山**　日本のあっち系の人と、まったく同じですね。

**島田**　難民審査は、不法滞在者の数が増えるほどに処理件数が増え、時間がかかるようになる。数年待ちも珍しくない。待っている間に子どもができれば、従来の米憲法解釈のもとでは、不法移民の子であっても自動的にアメリカ国籍を付与される。「生得市民権」と呼ばれるものです。

そうなると親だけ強制送還というわけにはいかないので、親子ともども滞在を認められる。「錨《いかり》ベイビー」と揶揄される現象で、赤ん坊が家族をアメリカに居続けさせる錨の役割を果たす。これが無限定に拡大すれば事実上の国境開放です。誰でもアメリカに移住できることになる。

民主党だけでなく共和党の主流派も経済界の移民歓迎論に寄り添いがちです。こうした政界の全体状況に反発する人たちが、トランプを支持し、大統領に当選させたわけです。日本ではトランプ的な政治家が非常に少ない。

## 移民により、途上国が先進国を植民地化している

**飯山**　難民については欧米でも無制限な受け入れをやめ、適宜送り返すという政策に切り替えつつあるのに、日本では周回遅れで、どんどん受け入れようということになっているのは異様です。

**島田**　川口市の奥ノ木信夫市長は数年前、難民申請して仮放免中の人が働けるようにして欲しいと法務大臣に直訴しました。アメリカのＡＯＣ議員と同じ発想ですね。

**飯山**　その結果、川口市に難民申請をしている「仮放免」のクルド人が大量に集まってきて、実際に川口市民の生活を脅かしている。これを見て見ぬふりをし、移民も難民もどんどん受け入れようじゃないか、それで日本の経済も福祉も維持されるのだから、と言っているのが岸田政権です。

**島田**　今、国際的かつ歴史的な動きとして、移民問題で逆転現象が起こっています。かつては先進国が後進国を植民地にしていった。今は逆に、後進国がどんどん先進国に国民を

送り込み、植民地化する状況が見られる。移住先の法律を無視して、自分たち独自のコミュニティをつくる場合もある。まさに治外法権です。きれい事を言う先進国のリベラルが、この現象を後押ししてきた。

例えばフランスには、もはやフランスの一部とは言えないような「外国植民地」が少なからずある。イギリスのロンドンも、ロンドニスタンなどと呼ばれる状況です。アメリカのカリフォルニアは、しばしばメキシフォルニアと揶揄される。日本の政治家やマスコミはこうした欧米の事態が目に入らないのか、取り返しのつかない失敗に国を導きつつあります。

**飯山**　ヨーロッパで、国の形が変質するほど移民・難民を受け入れ、放置してきた背景にあるのは、ヨーロッパ人が過去に中東やアフリカを植民地支配してきたことに対する贖罪《しょくざい》意識があると指摘されています。

**島田**　そういう人たちが政界やマスコミの中心にいるわけですね。

**飯山**　労働力が足りないといって移民や難民を受け入れ、我々はかつて彼らを支配し抑圧してきたのだからといって、彼らのあらゆる行為を是認してきた。その結果、ヨーロッパ各国に、移民が集住し警察も立ち入れない「自治区」のようなものが生まれています。

**島田**　日本のマスコミは個別のケースを取り上げて、このかわいい女の子を本国に送り還してよいのか、友達と引き離してよいのかといった形の報道をよくします。

しかし日本人でも、海外で生まれた子女は、みな帰国に当たって現地の友達と別れなければなりません。それを人権侵害とは呼ばないでしょう。さらに言えば、国内でも転校すれば、仲のよい友だちと、少なくとも一時的には離れ離れになる。それを人権侵害と言えば、親は転勤できなくなる。

アメリカのメディアやイギリスのＢＢＣなども同様の「不法移民の子がかわいそうだ」的報道をよくやります。ＢＢＣといえば、イスラエルがガザ地区の病院を爆撃して５００人殺害したという誤報をして、国際的な後追い報道を招きました。ニューヨーク・タイムズなど、ＢＢＣのせいにしつつ、のちに訂正したメディアもありますが、ＮＨＫはじめ日本のマスコミはほとんど無反省ですね。

ちなみに、ＦＯＸニュースなど米保守系メディアは必ず「ハマスがコントロールするガザ保健当局によれば」と前置きして死傷者数を伝えますが、日本では「ガザ保健当局によれば」と中立の行政機関の発表であるかの如く報じます。

## 日本の言論環境では、真実を言うと干されてしまう

**飯山**　中東諸国では、オバマやバイデン政権よりトランプ政権のほうがずっといいという論調が一般的です。トランプを蛇蝎のように忌み嫌う日本の論調とはまったく違う。アメリカが民主党政権のときに中東が混乱するのが常であり、みなその困難を身をもって体験してきたからです。

**島田**　バイデン政権の中東政策は、基本的にオバマ政権の対イラン宥和政策の延長です。

**飯山**　オバマ政権のときに中東では「アラブの春」が起こりました。「アラブの春」というと、よい変化が起こったかのような印象ですが、実際は国家転覆、経済困難、内戦突入、テロ組織跋扈《ばっこ》と、いいことなどまったくなかった。だから中東では、いわゆる「アラブの春」のことを「アラブの春」などと呼ぶ人はほとんどいません。

**島田**　なるほど、そうでしょうね。脱炭素原理主義と無縁なトランプ政権は、サウジアラビアとの関係を戦略的に強化しました。イスラエルとの関係も非常に良かった。トランプ

の娘婿でユダヤ人のジャレッド・クシュナーやデビッド・フリードマンという、これもユダヤ系でアクの強い駐イスラエル大使らが、国務省官僚機構と戦いながら、大使館のエルサレム移転などを進めました。国務長官も、最初のティラーソンは国務官僚に寄り添いがちでしたが、ポンペオに代わってからはクシュナーやフリードマンと一体となって、親イスラエル、親サウジ外交を進めました。

同時にトランプ政権は、イランに関しては徹底的に締め上げて、ソレイマニ殺害作戦まで実行した。こうした状況下、サウジとイスラエルは、アメリカを結節点として同盟に近いところまで行きました。テロ勢力は相当程度封じ込められ、イスラエル周辺の情勢は近年になく安定した。

私は、その点でトランプを評価する論文をいくつも書きました。しかし日本の国際政治学会やマスコミでは、トランプを少しでも評価するとインテリと思われないのでは、という怯えに似た感情がある。大学教員は知的なガッツを欠く者が多いので、トランプはバカで反動と決めつけないと仲間外れにされるのではと怯えるわけです。

**飯山**　日米共に、大学をはじめとするアカデミアは異論を許さない言論統制下に置かれているのが実情です。

**島田**　その通りです。「トランプ錯乱症候群」にかかる者も多い。日本の最近の「日本保守党錯乱症候群」や「飯山陽錯乱症候群」に似ています。飯山さんは研究者としての実力から言えば、中東学会会長でしょう。しかし「不都合な真実」を語るから干される。

**飯山**　私の場合、完全に干されたうえに、今もなお攻撃され続けています。

**島田**　私はたまたま福井県立大学という新設大学ができたときにコネで潜り込んだからラッキーでしたが、もし公募に挑戦する身だったら、どの大学にも採用されなかったでしょう。やはり日本も、非左翼的な研究者の受け皿として、アメリカの保守系シンクタンクのようなものが必要です。

例えばワシントンのヘリテージ財団は、ビール会社のクアーズ御曹司や宗教保守の富豪が多額の寄付をして発足しました。その後も、保守派人士の遺産財団が毎年利子の一定割合を寄付するといった形で資金を確保しています。

飯山さんは本の印税やユーチューブ収益など個人的な努力で研究費を確保しておられる点、頭が下がります。若い中東研究者が素直に目を凝《こ》らせば、「東大あたりのうすら左翼や『外務省のペット』ではなく、飯山先生のほうが正しいな」となると思います。

**飯山**　いろいろな人が中東の本とかイスラムの本を書いていますが、今回のハマスのテロ以来、ありがたいことに圧倒的に売れているのは私の本です。私以外の中東研究者は何百人もいるけど、その人たちの本は売れない。つまり、これはどういうことかというと、少なくとも一般社会では、中東の事実について知りたいと思う人、メディアの中東情報のウソに気づく人が増えているということだと思います。その中には、中東研究を面白そうだからやってみたいという若い子もいるかもしれない。そういう人たちが、長期的な目で見たら、少しずつ学会を変えてくれるかもしれない。少なくとも希望はあると私は思っています。

**島田**　私は、日本が独自核抑止力を得る道筋を示した1章を含む理論武装の書を出しましたが、ある程度売れています（『腹黒い世界の常識』飛鳥新社）。若い人たちの素直な感性で、風向きが変わる可能性はありますね。飯山さんにはテレビ局から中東問題を解説してくれという依頼は来ませんか？

**飯山**　日本のマスコミからの依頼なんて、まったくないですよ。

**島田**　存在に気づかないはずはないので、要するに呼ぶ勇気がないわけですね。

**飯山**　嫌われていますから（笑）。

**島田**　私も嫌われています（笑）。間違って依頼が来ても、たいてい一回限りです。家族からは「一発屋」と呼ばれています。

アメリカのABC、NBC、CBSの地上波3大ネットワークは、みな民主党応援団です。それでもバランスを取るために、ゲストを2人呼んで1人はそれなりの保守派を充《あ》てるといった配慮も見せる。

日本のマスコミは半端な左翼を1人だけ呼ぶ場合がほとんどです。もう一人、飯山さんあたりを出して討論の形を取るべきですが、そういう発想自体ないようです。

**飯山**　NHKあたりは公正中立を謳っていますが、実際には偏向報道どんとこいです。

**島田**　私は、私を安倍首相のブレーンと誤解した海外のメディア、例えばイギリスのBBCから「日本核武装」の代表的論者として何度かインタビューを受けました。英米のフリーのジャーナリストからもよく取材があります。しかし日本では、独自核保有論はタブー中のタブーなので、マスコミからの取材は一切ありません。

**飯山**　インターネットの普及で情報の出所がマスコミだけに限られなくなった今、マスコミのウソや偏向に気づく一般人も増えてきています。

## トルコは中東でトップに立つためにテロ組織を擁護している

**島田**　トルコについてお聞きします。エルドアン大統領はアメリカの保守派に非常に評判が悪い。ハマスの擁護者と見られてもいる。エルドアンはトルコの世論をどの程度反映した存在なのですか。

**飯山**　エルドアン大統領は選挙で選ばれていますが、彼自身が自らに権力を集中させるために憲法を変え、制度を変えた中で実施された選挙だという事実を看過してはなりません。メディアも概ねエルドアンの統制下にあり、彼に批判的なジャーナリストは逮捕されることも少なくありません。一方、彼の政治家としての特性はイスラム主義にある。トルコ共和国は建国以来、世俗主義を旨としてきましたが、国民のほとんどはイスラム教徒であり、政治や社会をもっとイスラム的なものにすべきだと信じる人が多かったのも事実です。彼はそうしたトルコ人に支持されてきました。

**島田**　日本では、イランの場合と同様、トルコも伝統的な親日国で、エルドアン大統領はその代表者といった形の報道や議員の発言が多いように思います。

**飯山**　トルコもイランも、親日ではありません。両国とも親中であり、帝国主義的野心をもって軍事的拡張政策を実践しています。人権侵害も著しい。そのような国を友好国と信じて付き合えば、日本の安全は守られるという、愚かな「神話」からは、いい加減解放されるべきです。

# 第3章

# ＬＧＢＴ法があるのは日本だけ

## 「LGBT法がないのはG7の中で日本だけ」は嘘

**島田**　2023年6月に成立したLGBT理解増進法も、移民問題同様、「欧米の失敗の猿まね」に走る日本の政治状況の典型です。「LGBT利権法」と私は呼んでいますが、一応保守を看板とする自民党までもが、ろくな審議もせず、すなわち国民に「理解増進」の機会を与えないまま、強引に押し通す側に回った。非常に恥ずべき状況でした。

驚くべきことに、あの時ほとんどすべてのマスコミや政治家が、アメリカでは既にLGBT法が成立していると思い込んでいました。だからバスに乗り遅れるなというわけです。ところがアメリカでは、共和党が一致して反対しているため通っていないし、予見しうる将来、通る見込みもありません。

民主党提出のLGBT法案（名称は平等法）に対する共和党の反対理由は、大きく3つです。

第一に、差別の定義が非常に曖昧で、どれだけ逆差別を招くか分からない。第2に、トランスジェンダーの権利を女性の権利の上に置くことで女性の保護を危うくする。第二に、まだ性観念の曖昧な子どもたちを非常に危険な形で混乱させる。取り返しのつかない身体毀損《きそん》を促《うなが》してしまいかねない。以上の3点です。

私は、この共和党の反対および法案未成立というファクトを早くから発信していましたが、当初は無反応でした。多くの自民党議員は何の問題意識も持たず、岸田首相が指示するままに突進した。その岸田氏自身も、バイデン政権と公明党に尻を蹴られたから前のめりとなっただけで、自分の考えなどなかった。結果として、岩盤保守層の怒りを買って支持率が低下し、総選挙が打てなくなった。

日本の政界は、アメリカの状況を本当に知りません。そのくせアメリカをまねようとする。NHKのアメリカ報道は、左に偏向した米主流メディアのより単純化した受け売りに過ぎませんが、政治家の知識はその域をほとんど出ない。結果として、アメリカ左翼の、周回遅れの猿まねに走ることになる。

**飯山**　LGBT法案を推進するとき、推進派の人たちはLGBT法がないのはG7で日本だけ、というような風説を流していた。そもそも、それが嘘なんですよ。

**島田**　その通り。繰り返しますが、アメリカでは同種の法案は通っていません。G7の中心たるアメリカで通っていないという一点だけで、日本だけが落ちこぼれているという言説の嘘は明らかです。最終段階で、私の論が産経、読売、夕刊フジなどで一定程度取り上げられ、自民党の有志議員が反対の声を上げる一助になったと自負していますが、結局、自民党執行部があくまで突っ走り、おかしな法案が通ってしまった。

岸田首相夫人が、米国版日教組の顧問であるバイデン夫人からホワイトハウスに呼ばれて尻を叩かれるなど異例の展開もありました。岸田夫人は帰国後、「バイデン夫妻の強い思い」を夫に説いたはずです。

その間《かん》、東京では、剛腕で鳴らすポリティカル・アニマル、エマニュエル大使が政財界に硬軟取り混ぜた圧力を掛け続けています。山口那津男公明党代表や十倉雅和経団連会長などは、大使の舎弟と化した感がありました。

これを「アメリカの圧力」と表現する人もいますが、あくまでアメリカ民主党の圧力です。共和党はまったく逆の立場であることは、先に述べた通りです。飯山さんが日本の政治家やマスコミは中東の現実を知らないとよく言われますが、同盟国であるアメリカの現実もほとんど知らない。

**飯山**　唯一の同盟国であるアメリカの実情も知らないようであれば、中東の実情は言うまでもありません。知っていてあえてウソをつく場合もあるかもしれません。自らの進めたい政策のために、事実を捻じ曲げたり、あるいは自分に都合のいい事実をでっち上げる。特に多くの日本人にとって馴染みの薄い問題の場合には、ウソで騙すのも容易です。

## 自民党の政治家も保守派言論人もファクトを知らない

**島田**　左派の場合には、確かにそういうケースもあると思います。自民党の場合は何も考えない、あるいは「ＬＧＢＴに優しい」ポーズをとりあえず取っておきたい、といった程度の議員がほとんどでしょう。

さらに、保守を標榜しつつ左翼活動家の利権確保に邁進する稲田朋美氏のような議員もいて、党幹部の部屋を訪れては泣き落としに掛かることで有名です。「鬱陶《うっとう》しい」と叱責して放り出せばよいのだが、「よしよし、俺が何とかしてあげよう」と保護者を演じたがる年配議員もいる。本物の保守政党ならあり得ない光景です。

言論界や学会でも、「アメリカで未成立という余りに基本的なファクトをどのマスコミも専門家も伝えないなんてことがあるのか。間違ってない？」と私に疑いの目を向ける向きもあったほどでした。

**飯山**　私も同じような目によく遭います。誰も言っていないことを言うと、「あいつは嘘つきだ」とレッテル貼りされる。嘘つきのレッテルを貼ることで、私の主張を世の中から抹殺し、異論などないかのように一つの意見だけで塗り固めようとする。本来あるべき、民主主義社会とは、逆行した現実があります。

**島田**　政治家と話していると、NHKニュースをアメリカに関するほぼ唯一の情報源としている人が多い。外務省のレクチャーも国務省寄り、米主流メディア寄り、すなわち米民主党寄りで、大変問題です。

**飯山**　新聞やテレビといった主要メディアを見ない人が増えたとはいえ、政治家に与える影響はまだ大きいのが実情です。政治権力を持つ人にとっての権威が大手メディアなので、大手メディアに出ない島田先生や私の主張は彼らに届かない。届いても「あいつの言うことは信用できない、なぜならNHKと違うからだ」ということになる。

**島田**　マスコミが重用する例の宮家邦彦氏は、CNNの受け売りないし反トランプ・事なかれ主義の国務省人脈の意見をオウム返しに述べているだけです。

LGBT利権法を巡って、もう一つ痛感したのは、アメリカ政治の基本システムすら把握していない「専門家」が実に多いことです。例えば、ある評論家から「島田さん、アメリカではLGBT法は通っていないと言うけれど、通ったという記事が産経新聞に載っていたよ」と言われた。チェックしたところ、民主党多数時代の下院が2019年に同法案を通過させたという記事でした。

確認しておけば、アメリカでは、あらゆる法案は上下両院を通過したうえで、大統領が署名して初めて成立する。大統領が拒否権を発動した場合、上下両院が3分の2以上の多数で再可決すれば、拒否権を乗り越えて成立する。下院はすべての法案を過半数で議決しますが、上院は定数100の5分の3に当たる60人が同意しないと、審議を打ち切って採決に入れない。下院にはない独特の院内規則があります。

近年の上院では、民主、共和両党の勢力がほぼ拮抗しているので、民主党の全員が賛成して過半数を超えても、共和党から約10人の同意が得られないと、採決に入れず、法案は通らない。LGBT法案は現に上院を通らなかったし、予見しうる将来、通る見込みはない。

下院が民主党だけの賛成で通した2019年は大統領が共和党のトランプだったので、この法案が仮に上院も通っていたとしても、確実に大統領拒否権で葬られていました。法案賛成派は上下両院とも3分の2にほど遠かったので、拒否権を覆せる可能性はゼロでした。2024年現在は、大統領が民主党のバイデンですが、下院を共和党が押さえているため、民主党がLGBT法案を再提出しても、上下両院ともに通りません。

こういう基本システムないし基本力学すら理解せずに、アメリカの状況を説く「専門家」や「国際政治学者」が多いのが現状です。

**飯山**　そのレベルはアメリカだったら、小学校の高学年ぐらいで勉強する程度の内容。アメリカの、日本の公民のような科目で小学校の高学年とか中学校の最初ぐらいに学ぶような程度の常識すら持ち合わせていない人が、日本では国際政治の専門とか、あるいは国際政治に関する記事を書く記者として、一丁前にやっている。恥ずかしい話です。

## しっかりとした保守的な議論をする学者は生き残れない

**島田**　ハマスによるテロの直後、東京外国語大学の篠田英朗という自称国際政治学者が、「たぶん、世界の圧倒的大多数の人々は、イスラエルの攻撃こそが快楽殺人だとみなしている。数多くのイスラエル人が狂喜してガザへの入植の準備をしているわけだから」とXでポストしました。イスラエルの人々が、危険に満ちたガザへの移住を熱望しているといった事実はあるでしょうか。

**飯山**　ありません。イスラエルの中にも原理主義的な人はいるので、中にはガザへの入植を心待ちにしている人もいないとは言い切れません。しかし篠田氏は、多数のイスラエル人がガザ入植を狂喜して待っているというような主張をしていました。あれだけ惨たらしく自国民が大量に殺されたイスラエルが、それをやったテロ組織ハマスへの掃討作戦に臨まざるをえないという現実を、「快楽殺人」と呼ぶとは、「平和構築」を専門とする「国際政治学者」の発言とはにわかに信じがたいものがある。しかし彼は、自身のXアカウントで「I love Gaza.」というポストを固定しているくらいですから、ガザを愛しイスラエルを憎むという、それを「正しい」と信じてやっているのでしょう。

**島田**　彼はいくつか新鮮味のない自衛隊合憲論を書き、なぜか一部の保守系メディアに評価されて、虚名を博しましたが、残念ながら常識を欠き、人格に難があります。

**飯山**　彼は「平和構築」が専門なのだそうです。しかし中東をやっている私から言わせれば、「平和構築」の意味がわからない。篠田氏の平和と、イスラム教の規定する平和は、意味内容がまったく異なります。世界には人の数だけ平和のかたちがあるといっても過言ではない。自分の考える平和を世界中の人が受け入れれば世界は平和になるという、そういった驕り高ぶりを彼からは感じます。

**島田**　ハマスは1988年の「ハマス憲章」でイスラエル殲滅を掲げていましたね。

**飯山**　そのハマス憲章に、自分たちの目標はイスラエル殲滅で、イスラエルという国をなくして、そこを全部イスラム国家に置き換えることが目標だと書かれている。しかもこれは彼らの目標の第一歩に過ぎず、彼らは全世界のイスラム化を目指しています。彼らは全世界がイスラム化すれば平和になると信じている。重要なのは、平和といってもいろいろあるということです。文化が違えば平和も違う。そういうことをまったく理解していない人間が、平和構築を学問として専門としてやっていて、頓珍漢なことを言い、「I love Gaza.」と掲げて、しかもイスラエルを悪魔化するポストを、ひたすら続けている。

**島田**　百田尚樹氏と有本香氏に、飯山さんを抑え込んでもらおうと思ったのか、「日本保守党は、いずれ飯山陽氏らSNSインフルエンサーとの関係を明確にする必要があるのではないか」という謎のポストもしました。

**飯山**　脈絡もなく急にこんなことを主張し始めたので驚きました。何が何だかわかりません。

**島田**　彼は平和構築の前に、まず自分の脳内を構築すべきです。平和といえば、ヒトラーもチェコに侵入する際、「私は平和を望んでいる。チェコが抵抗しなければ平和は保たれる」と宣言している。戦争になるのは相手が理不尽にも抵抗するから。その意味でヒトラーもプーチンも、自己規定では平和主義者です。理念なき「平和構築学」は侵略の正当化にもなり得る。

**飯山**　イスラム過激派はヒトラーが大好きです。ハマスのアジトからも、ヒトラーの『我が闘争』のアラビア語版が発見されている。パレスチナ自治政府のアッバース議長はホロコーストを矮小化する論文をロシアの研究機関に出し博士号を取っています。彼は最近も、「ヒトラーが『ユダヤ人だからユダヤ人を殺した』というのは真実ではない」「（ヨーロッパが）ユダヤ人と戦ったのは、宗教ではなくその社会的な役割が理由」「彼らが高利貸しだったからだ」といった反ユダヤ主義発言を連発し、顰蹙を買いました。

**島田**　篠田某は、戦前戦中の日本は「東アジアにおいて空前の侵略行為を繰り返した『ならず者国家』であった」とも書いている。当時の国際情勢がまったく視野に入っていない、単純極まりない自虐史観です。イスラエルも同じだと言いたいんでしょうが、この程度の歴史認識や憲法論で複雑な国際社会の「平和構築」を語れるはずがありません。

**飯山** 私も篠田氏の憲法についての本を読みましたが、彼は、もともと自衛権というのは国際法で規定されている、日本国憲法は国際法の下に位置付けられる、だから憲法改正しなくても自衛権は保障されている、と主張しているわけで、これがなぜ保守的な憲法論だということになっているのか、理解できません。

**島田** 歴代日本政府の辻褄合わせ的憲法解釈と同じです。何の新鮮味も切れ味もない。まあ日本の大学教員は共産党、社民党支持の左翼が多いので、その中では若干マシに見えたのでしょうが。

彼の憲法論は、凡庸な自虐史観と凡庸な自衛隊合憲論の接ぎ合わせですが、その全体が外務省主流派のスタンスと一致します。だから、外務省が共産党より保守的という意味では、彼も保守的でしょう。飯山さんの先輩の池内某とは仲良しみたいで、「外務省のペット」同士、お互い褒め合っているようですね。

**飯山** 引用ポストし合って称賛し合う現象は、朝日新聞の記者たちの間でも確認できます。

**島田** 「専門バカ転じてバカ専門」という現象も大学ではよく見られます。あの二人は衆人環視のもと「飯山陽錯乱症候群」を加速度的に悪化させ、心ある人々の怒りと憫笑《びんしょう》を買いました。篠田某は「飯山陽氏は日本保守党の評判を落としていてヒドイです。日本保守党院の皆さん、飯山陽氏にクソリプを大量に送ってください！！！」とまで書き込み（2023年11月23日）、さすがに囂囂《ごうごう》たる非難を浴びるや、「面白い冗談だと思って自分でも気に入りましたが、さすがに冗談が通じない人が多くて、万が一に本気にする人が続出するとマズいので消しました」と退散。余りに見苦しい独り相撲に呆れた人も多いと思います。

外務省は彼に、税金から多額の補助金を付けて「平和構築・開発におけるグローバル人材育成事業」を委ねていますが、こんな文章を他人に向けて恥じない人物に、まともな人材育成ができるはずはない。直ちに関係を断ち、資金を引き揚げるべきです。

池内某も、飯山さんと対談する男性はみな「色ボケ」だと叫ぶところまで症状を悪化させました。過去に言い寄ってフラれたトラウマでもあるんですかね。

**飯山**　それは私からは申し上げられませんが、池内氏は河野太郎のブレーンだと得意げに述べていたのは覚えています。

**島田**　狭量で常識がない者同士、気が合うんでしょう。

**飯山**　自慢していたのは5年前くらい。私は池内さんにそう自慢されたので、「そうですか」

とだけ申し上げました。河野さんが総理になった暁《あかつき》には、池内さんが外交のブレーンとして出てくるのかもしれないですね。

**島田**　河野太郎について言えば、彼はアメリカの共和党なら絶対にリーダーになれない人物です。例えば再エネ信仰、反原発が持論ですが、これは民主党でも左派に属する立場です。「河野さんは反原発を封印したから大丈夫」と周りの議員は言うが、封印とは、権力の座に着けば封を解くということでしょう。論外と言う他ない。

外相時代に、中国共産党の女性報道官に顔を寄せ鼻の下を伸ばした写真を2回も自撮りして、SNSで国際発信したこともあります。同じことをアメリカの国務長官がやれば、即日クビです。まあ池内某とは、いいコンビではあるでしょう。

## アメリカ民主党の言いなりになって転んだのは悪手

**飯山**　LGBT法のときも、バイデン夫人から岸田夫人が呼び出されたり、あるいは、エマニュエル大使から木原誠二経由で、岸田氏が早くやらないといけないという意識を持たされたり。日本は自分たちの社会に関わる問題について、アメリカ民主党の言いなりになって急いでやるというのは、本来は禁じ手であるはずです。

**島田**　その通りです。

**飯山**「岸田というのは圧力をかければ、いくらでも言うことを聞く奴だ」と思われたこと自体が、日本国の損失です。

**島田**「忠犬岸公」という言葉さえできました。もっとも、ＬＧＢＴ利権法のような社会問題に関しては、アメリカ民主党政権や欧州諸国の圧力にとことん弱いのに、紅海におけるフーシ派のテロに対する共同海上対処とかイスラエルの対テロ作戦支援などとなると、必死に他のＧ７諸国と距離を置こうとする。

**飯山**　日本の中東外交がイランとの伝統的友好関係に立脚していることになっているからです。だから日本政府はイランを刺激しないことに全力で取り組む。共和党政権だったら日本により厳しい批判や要請がきたかもしれません。

**島田**　バイデン政権だから助かっている面もある。しかし、それはまったくよいことではなく、日本が筋違いの対応をしても、アメリカは許してくれるという錯覚につながりかねない。何度も言うようにアメリカは一枚岩ではありません。共和党が主導権を握れば、Ｌ

ＧＢＴ問題などでは何も言わない半面、外交や軍事では相当プレッシャーが高まると思います。

**飯山**　アメリカだけでなく、岸田氏の外交は世界の主要国で評判が悪い。岸田氏はあらゆる国にカネをばら撒いたり「友好国」アピールしているので、日本はどの国からも敵視されていないと思っているようですが、とんだ勘違いです。ハマスに忖度してみたかと思えばハマスの幹部に制裁を課す、イスラエルに対しても「自制しろ」と言ったかと思えば時に寄り添うような態度を示す、こういった場当たり的な岸田外交は、諸外国からは不信の目で見られています。

**島田**　アメリカ、イスラエル、アラブ諸国にトルコ、イランとみんなにいい顔をして、適当に綺麗ごとの自制を求め、適当に税金をばらまいて帰ってくるというスタンス。何度殴られてもニコニコ戻ってくる起き上がりこぼしを彷彿とさせます。そうなれば相手も、適当に日本の言うことを聞いたふりをしてカネだけもらっておこうということになる。

**飯山**　今のイスラエルを巡る状況に関しても、やはりアメリカ共和党というか、保守派方面の意見とか動きを、今の自民党議員は全然知らない。ＮＨＫあたりの責任も大きいのですが、最近は連日ガザで子どもたちが死んだとハマスが発信する映像を延々と放送している。そしてバイデンの映像を映して、アメリカですらイスラエルに対して停戦を求めていると報道している。

**島田**　アメリカの保守派は「イスラエルのハマス壊滅作戦を揺るぎなく支持すべき」が基本スタンスです。安易な停戦はハマスに体制立て直しを許すことに他ならない。イスラエルの自衛戦をしっかりサポートすべきという考え方です。

ガザの病院で燃料が足りなくなった等の報道に対しても、テッド・クルーズ上院議員（共和党）が典型ですが、「ハマスに、ため込んでいる燃料を吐き出させればよい。国連機関などを通じて現地に供与すれば、ハマスが横取りしてテロに使うだけ」とはっきり言っています。

**飯山**　日本の研究者でも、そういうハマスの悪辣なやり方、人間の盾戦略について、はっきりと非難している人はいない。私以外、本当に知りません。先ほど名前が挙がった篠田氏や池内氏は、一貫してイスラエルを非難し、実質的にハマスを擁護している。ガザの地下にハマスの司令部があるというイスラエル軍の見立てを、「そんなものどこにもないじゃないか」と鼻で笑ったりしていました。しかし実際にガザの地下では、エアコンまで完備された大規模なトンネルや司令部が発見されています。欧米に目を向けても、日本ほど論調が一辺倒に偏っている国はない。例えば、保守派の政治評論家のベン・シャピーロは、完全にハマスが悪だと言っているし、ハマスを糾弾しなければいけないと発言している。日本でも翻訳出版された『西洋の自死』という著作で知られるイギリスの作家ダグラス・マレー氏は、自らイスラエルに行き、自らの目でハマスの犯罪を確認し、ハマスを擁護する世界の論調は圧倒的に間違っていると発信し続けています。

**島田**　アメリカの議員も少なからず現地を訪れ、ハマスのテロ現場を実見しています。飯山さんに対して、自民党の外交部会やさまざまな議連から、話を聴かせて欲しいとの依頼は来ませんか。

**飯山**　まったくありません。

**島田**　これだけ飯山さんの本がベストセラーになり、民間の保守派が評価しているときに、意識が低いとしか言いようがない。

**飯山**　池内さんは自民党で「レクチャー」をしたことがあるとXにもポストしていました。河野太郎氏と仲良しだそうですから。

**島田**　河野と仲良しというだけで、話を聴く価値がないと分かります。

**飯山**　本当に日本ほど偏った中東報道がなされている国は他にありません。中東のニュースチャンネルのほうがよほどバランスがとれています。彼らはハマスを批判している。ライブ放送にハマスの指導者を呼んで、公開でハマスを批判したりしています。

## まったく主体性がないまま、政策を進める危うさ

**島田**　安倍首相は自覚的に、アメリカ共和党方面の人脈をしっかり維持し、固めていた。保守派同士の連携の重要性をよく認識していたわけです。ところが、安倍さんの遺志を継ぐはずの1人、萩生田光一氏にある人が訊いたところ、滅多にアメリカに行かないという。理由を問うと、「英語に自信がないので」との答えが返ってきた。なかば冗談でしょうが、英語なら大使館が立派な通訳を付けてくれます。安倍さんと関係の深かったハドソン研究所とか、ヘリテージ財団とか、然るべき保守系シンクタンクに頼めば、講演の場をつくってくれるはずです。私ですら拉致問題その他で何度か講演したことがある。

萩生田氏や高市早苗氏には、アメリカの発信力ある有力保守政治家、例えばテッド・クルーズ、マルコ・ルビオ、トム・コットンといった共和党議員やポンペオ元国務長官らト

ランプ周辺との関係構築を期待したい。中国政策、中東問題などで有益な意見交換ができるはずです。

**飯山**　まったくそうだと思います。イスラエルのこともそうですし、あとはイラン。イランが世界でどう見られているのか、あるいは日本にとっての唯一の同盟国であるアメリカが、イランをどう見ているかに関しての知識が必要です。それが著しく欠如しているところがある。日本の政治家には、外交なんかやってもカネにも票にも結びつかない、という意識があるのかもしれません。

**島田**　アメリカでは、外交委員会は花形の委員会という意識があります。権限が大きく、注目度も高い。先に挙げたような米保守政治家は世界的に影響力がありますから、彼らに情報を打ち込んでおけば有意義な拡散が期待できる。私も、例えば２０２３年5月にワシントンで、拉致問題訪米団の一員としてクルーズ議員と懇談しましたが、いざという時、彼が日本側に立って論陣を張ってくれれば非常に大きい。しかし日本の議員は、米保守派のスタンスをよく知らないので、話がすれ違うケースが多いようですね。

**飯山**　目先の利益にとらわれて、外交なんて一生懸命やらなくても別に問題はない、という意識ですね。そのまま前例踏襲で、イランは伝統的友好国と言っときゃいいんだよみたいな、そういう感じ。ＬＧＢＴ法だって、「理解増進で、みんな仲良くしとけ」という話でいいんだよとなる。ところが、全方位にいい顔をして上手くやっているつもりなのは自分たちだけで、諸外国から見れば日本は主体性がなく信用できない国だとなる。お世辞を言いカネを配り歩けば上手くいく、という日本国内の論理が海外でも通用するという勘違いがあるように思います。

**島田**　私は米保守派との信頼関係構築が、最も国益に適う外交活動だと思います。「バランス外交」と言えば聞こえがいいが、実態は「全方位土下座外交」ないし「全方位起き上がりこぼし外交」になっている場合が多い。

**飯山**　結局、そういうことやっていると、岸田氏はバイデンのＡＴＭになる。すでに、パレスチナ暫定統治機構に金を出すとか言っています。

**島田**　１００億円の追加支援でしたね。典型的なムダ金です。

**飯山**　戦略的に考えているのではなく、とにかく、いろいろ言われないように金だけ出しておこうという発想でしょう。今アメリカは共和党が下院の多数を取って、共和党の強硬派が多い。イスラエルに対してアイアンドームの補充の迎撃ミサイルをアメリカから供与する、それは予算をつけましょうとなっています。逆にガザの人道支援はハマスに横取りされるから予算はつけないと。共和党が反対して、そうなった。その分をバイデンあたりから、「岸田、おまえちょっと出しておいてくれや」ということになる可能性が高い。非常に使い勝手のいいＡＴＭです。

**島田**　ウクライナ追加支援についても、米側は「岸田、ワシントンに国賓招待し、議会演説も用意してやるから、アメリカの分もお前が出しておけ」という方向で動いている。こちらは5兆円から10兆円規模の話です。ちなみに日本の国の総税収は２０２３年度に約70兆円、10兆円がいかに巨額か分かります。ＡＴＭ岸田が払うカネは、もちろん彼のポケットマネーではなく、われわれの税金です。「パレスチナ支援金」を国連機関に出すことも繰り返されてきたが、基本的に、国連ほど無理念で無責任な組織はない。

**飯山**　トランプ政権のとき、トランプはユネスコから脱退しました。その大きな理由が、パレスチナ問題です。ユネスコが反イスラエル的な教育にお金を出したり、あるいは、エルサレム周辺の歴史的なスポットに関して、パレスチナの言いなりの名前を付けたり、等々をやっていた。したがって、そんなところにアメリカ国民の税金は出せないということで、ユネスコから脱退しました。これについても日本のメディアでは、まともな解説がされませんでした。

## 人権理事会は、ないほうがいい

**島田**　日本では、いまだに国連信仰が根強い。しかし中露が拒否権を持つ国連は、機能不全が運命づけられた組織です。さらに近年は、中国の買収工作に屈する加盟国が増えている。

**飯山**　しかもロシアが常任理事国ですよ。常任理事国が他国に軍事侵攻しても、それを誰も止めることができない。これ、完全に機能不全に陥っていることが明らかなのに、日本ではいまだに国連というと、絶対正義となっている。絶対に国連に逆らってはいけないみたいな思い込みに支配されている。病気みたいなものだと思いますよ。

**島田**　かつて悪夢の民主党政権を仕切った小沢一郎議員が「国連安保理のお墨付きを得ないアメリカの軍事行動には協力しない」との趣旨を語って、同盟国・日本としての自主的判断はないのか、拒否権を持つ中露の意向に従うのか、と米側の強い反発を招いたことがありました。

**飯山**　意味がわかりません。

**島田**　小沢が日米安保条約を破棄したいならはっきりそう言え、アメリカは一向に差し支えない、とまで言い放った政府高官もいました。ところが日本の政界では、小沢発言を深刻に受け止める向きは少なかった。

**飯山**　それは、国連絶対主義の人たちが多いということ。

**島田**　トランプ政権は、ユネスコに加えて、国連人権理事会からも脱退しましたね。日本のある会合でそのことが話題に上り、自民党の保守系議員が「人権理事会から脱退するなんて、いくら何でもトランプさん、おかしい。日本からも苦言を呈さないといけない」と批判するのを聞いて、これでは駄目だと改めて思いました。

**飯山**　あんた、人権理事会がどういう場所なのか知っているんですか、という話です。あれは人権侵害国家がお互いの人権侵害をかばい合うための組織だというのは、知っている人は知っている。私もよくその話をしますが、誰も理解しようとしない。だから、人権理事会の本質もユネスコの本質も、日本では誰も理解しようとせず、ただただ「いい機関」だと思い込んでいる。パレスチナ関連では国連にＵＮＲＷＡという機関がありますが、ＵＮＲＷＡはハマス支持者やハマスのメンバーを雇用し、物資をハマスに横流しし、子供達に「イスラエル人を殺すことこそ最善」というヘイト・テロ促進教育をしていることで知られています。西側諸国ではこれが問題になり、支援金の停止や削減が国会で議論になることも少なくない。ところが日本は平気でUNRWAへの支援金を積み増ししています。

**島田**　「国連は役に立つのか」という問いに対して、かつて保守強硬派のジョン・ボルトン元米国連大使が「時々、偶然にも」(Sometimes. Accidentally) という名言を吐きました。結局その程度の組織、と見ておかねばならない。実質的にテロ支援となるような活動をする場合も多い。アメリカは、しばしば保守派が主導して、拠出金支払いを停止してきました。無責任な行為に対する一種の経済制裁です。国連も経済制裁の対象という、この発想は日本にはありません。

せっかくアメリカの保守派が立ち上がって国連に経済的圧力をかけても、拠出額が米中に続いて3位の日本が唯々諾々《いいだくだく》と割当金を支払うため、効果が薄まってしまう。国連の付属機関の活動についても国会がしっかり精査し、無駄な事業やテロ支援事業に対しては拠出金を停めるべきです。ところが、そうした問題意識を持つ国会議員は皆無に近い。

**飯山**　本当ですよね。絶望的です。

**島田**　国連人権理事会と聞けば、字面だけで立派な機関と考え、無条件に資金を出してしまう。

**飯山**　人権理事会は47カ国の理事国があって、毎年どんどんどんどん変わる。人権理事会の理事国を見ると、軒並み人権侵害国家。みんな揃って、お互いの人権侵害をかばい合っているわけです。

あと人権侵害を調べる特別調査官がいるけれど、要は人権侵害が疑われる国に行って、そこで何が行われているかを調べて、調査して、人権理事会で報告する。そういう特別調査官も要は中国とかロシア、イランとかが買収しているわけですよ。お互いの人権侵害をかばい合って、中国ではウイグル人は幸せに暮らしています、みたいなことを報告する。そういう機関を、人権という名前がついているだけで信用しちゃうとか、本当にあんたたち、どこまでバカですか、という話だと思います。

**島田**　人権理事会は人権抑圧国が多数を構成し、互いの悪事を揉み消す談合機関と言っても過言ではない。理事国の人権問題は取り上げないという不文律があるため、中に入ってしまえば安心できる。唯一、加盟国に制裁を呼びかける権限を持つ安保理で人権問題を取り上げようとすると、必ず拒否権を持つ中国が「人権理事会があるんだから、そちらで扱うべき」と主張する。

人権理事会に回されると、人権抑圧国が多数ですから、静かに握り潰されて終わりとなる。もちろん安保理で議論しても、最終的にはロシアと中国が拒否権を発動するから、人権制裁決議はまず通らない。それでも安保理で取り上げればニュース価値が上がるため、国際世論の喚起には役立つ。変に人権理事会があるがゆえに、中国などに悪用される。

**飯山**　戦略ですよね。

**島田**　人権理事会は、機能不全を目的とした機関と言ってもいい。

**飯山**　本当に、その通りです。国連人権理事会は人権侵害国家の談合組織だと事実を言っても、日本人のほとんどは、完全にチンプンカンプンでしょう。この人たちは何言っているのだろう、みたいに思われる。国連のいろんな機関が、おかしなことになっている意識が、本当に低い。というか、誰も知らない。これは本当に大きな問題。

**島田**　ユネスコや人権理事会からの脱退はトランプの暴走と捉えられがちですが、そうではない。米保守派は総じて歓迎しました。ちなみにレーガン政権も左翼偏向を理由にユネスコから脱退しています。

温暖化パリ協定からの脱退も、トランプの独断ではなく、共和党のほぼ総意でした。何でも「馬鹿なトランプがまたやった」で括ってしまうと、日本が大いに参考にすべき米保守派の思考が見えなくなります。

**飯山**　論点ずらしですよね。

## アメリカの保守派は常識の立場に還っている

**飯山**　先ほどのＬＧＢＴ法案と移民問題は関係しています。日本はＬＧＢＴ法案が可決されて以降、「心は女」という人が様々な事件を起こすようになっています。先日も「心は女」という男が女湯に入って逮捕され、なぜ逮捕されるのかと憤慨しているというニュースがありました。日本は今、自分の性別は自分で決める、という社会に向かって爆走していきます。一方で日本は、人口減を補うために外国人労働者を大規模に受け入れ始めている。その中にはイスラム教徒も多くいます。イスラム教は教義で「性別は男女の２つしかない」「同性愛行為は違法」と定めています。それを正しいと信じる人々を大量に国内に受け入れながら、多様な性を認めようという政策を推進する。これは日本政府の矛盾の象徴です。

**島田**　どんな問題が派生するか、よく吟味もせずに国会がＬＧＢＴ利権法を通した。この法律に、性の世界にうとい最高裁が影響され、性自認だけで性別変更を認める方向に大きく踏み出しました。

性同一性障害特例法の「生殖不能要件」は過度な要求であって違憲だと判示し、そのため国会は法改正を迫られている。今後、トランスジェンダーを騙る変質者から女性をどう保護するのか。ＬＧＢＴ利権法を通した時点で、国会は何も考えていなかったでしょう。

**飯山**　女性の権利を守ると言っていた人が、最高裁の判決が出たから、それに合わせて法改正とか言い出して、何だったんだろうという。

**島田**　自民党はますます、スパイラル的に理念的保守派の信用を失っていくでしょう。分かり切っていたことで、だから安倍さんは「こんな法案を自民党が通してはいけない」と周囲に念を押していた。数年前、自民党の稲田朋美議員と立憲民主党の西村智奈美議員がすり合わせ、稲田氏が自民党に持ち帰ったＬＧＢＴ利権法案の文面を見て、安倍氏は、これでは日本社会が壊れると強い懸念を抱き、党内手続きの段階でつぶした。稲田氏自身、「反対の中心に安倍先生がおられました」と述懐している。

安倍首相はその後、ＬＧＢＴ理解増進は一般論としても掲げないほうが無難と判断して、公約から外しました。しかし安倍さんを失ったあとの、岸田氏をはじめとする自民党幹部は、左翼活動家の意図に鈍感で、先の展開もまったく読めない。自分で自分の首を絞めて、というより国民の首を絞めて、支持率低下に歯止めがかからなくなった。安倍首相を支えた岩盤保守層はもう二度と自民党に戻りません。

男性トランスジェンダーに関しては、十分意識しておくべき点ですが、大きく二つのタイプがあります。

一つは、男に生まれたが男の肉体に耐えられないタイプ。彼らは、進んで外性器の切除手術を受ける。もう一つのタイプは、自己女性化性愛症（オートガイネフィリア）です。女装や、胸にシリコンを入れるなどの肉体女性化に性的興奮を覚えるが、性的対象はあくまで女性あるいは男女両方。最終的には射精で満足を得る。このタイプの自称トランスジェンダーにとって、性的カタルシスを得る器官である外性器の切除は論外です。

かつて英語の勉強を兼ねてアメリカのポルノビデオを何本か見たことがありますが、こういうタイプの人たちが登場する。上半身は乳房も含め完全に女性ですが、男性器を用いて男とも女とも性交する。趣味を同じくする者同士が合意の上で何をしようが勝手でしょうが、こういう人が権利として女性専用スペースに入ってくれば、一般女性にとっては恐怖でしょう。

**飯山**　活動家は「性的指向は人の数だけある」と主張します。しかも日によって変わったりする。社会がそれに合わせるのは不可能です。

**島田**　アメリカの保守派では「常識に還《かえ》ろう」が合言葉となっています。ロン・デサンティス知事率いるフロリダ州では、「正気の砦」であり続けるためにとして、2023年に、性別は出生時の生物学的特徴によって定まると明確に規定した州法をつくりました。性転換手術を受けても、法的性別は変えられない。

もちろん自分はトランスジェンダーだと主張するのは自由ですし、周りがそう遇するのも自由。しかし法律上の性別は変えられない。州が管理する施設では、女性専用スペースを使えるのは法的女性のみと明記しました。日本でも参考にしたい事例です。どこかで線を引かないといけませんからね。

**飯山**　性別変更に性転換手術は不要だという判例もすでに出ています。こうした流れを悪用し、単に女風呂に入りたいだけの男が「心は女」だと主張して自分の行動を正当化する、社会もそれを許容する、あるいはそれが合法化されるということになれば、女性にとってこんな恐ろしいことはありません。

**島田**　元女性のトランスジェンダーは、われわれ男性にとって別に脅威ではありませんが、逆の場合はそうではない。女性は一般に男より力が弱いという厳然《げんぜん》たる事実がある。最近の最高裁の決定や個別意見を見ていると、先に触れた自己女性化性愛症などまったく知らないように思えます。

**飯山**　女性が不安や脅威を感じたとしても、それは当然なのに、ある女性の最高裁判事が、女性が不気味なものを感じたとしたら、「その人たちは差別感情が残っているのだから、研修を受けないといけない」というようなことを書きました。これが「社会正義」だということに、私も一人の女性として、恐怖を覚えます。

## LGBT法も移民問題も、左派の社会正義論

**島田**　海外の失敗を周回遅れで猿まねし、案の定、混乱を招いて、尻拭いを国民に押し付けるという無責任極まりないことを自民党幹部や最高裁はやっています。

**飯山**　行き過ぎたLGBTへの配慮や移民・難民の受け入れ推進は、欧米の社会を混乱させ、治安を悪化させました。こういった現実があるにもかかわらず、周回遅れで同じことをやろうとしているのが日本です。

今すでに日本では、「心は女」と主張する男が女性のトイレやお風呂に入ったり、女性の体をさわって「マッサージだ」と正当化したりする問題が発生している。今後は、女子スポーツ競技に「心は女」という男が出場し、メダル独占、というような事態も発生してくるでしょう。

**島田**　日本の政治は海外の状況にまったくアンテナが働いていない。不法移民問題もそうです。アメリカでは偽善的なバイデン大統領の就任以来、不法越境者が900万人を超えています。アメリカの場合、不法移民の子であっても、米国地域で生まれれば自動的に米国籍を付与される生得市民権制度がある。

通常、憲法上の権利とされていますが、トランプをはじめ保守派は、それは憲法の誤読で、不法移民の間に生まれた子どもに国籍は与えられないと主張していますが、民主党が憲法解釈変更に反対のため動かない。

その結果、米国籍を得るのを目的とした「出産ツアー」も目立ってきています。子どもが米国籍を取れば、親もアメリカに居られる。さらに、リベラル派が主導して数十年前につくられた連鎖移民（チェーン・マイグレーション）制度がある。既に市民権を得た人の親族が優先的に移民枠の中に入れられるとするものです。

そのため、年を取って働けなくなった高齢外国人が、自活できる能力を備えた青壮年の外国人を押しのけてアメリカに移住して、いきなり福祉の世話になるケースも出てくる。決して他人事ではありません。飯山さんは日本での事例をいろいろ調べておられると思いますが。

**飯山**　日本でも2023年12月1日、紛争避難民などを「準難民」として認定し受け入れる制度が施行されました。移民についても、日本政府は「移民制度はとらない」と言いながら、実際には「特定技能2号」という資格で移民受け入れを推進する閣議決定をしています。日本政府は国民を欺《あざむ》きつつ、移民・難民の受け入れを推進していると言えます。

# 第4章

# 新・悪の枢軸に日本は何も対処できていない

## 日本は核を持つことに関して、議論すらできない

**島田**　核抑止の話をしたいと思います。核の脅しに対しては自前の核抑止力を持って、それを抑えるのが常識。私は基本的に、イギリスが採用し、現に機能している抑止戦略が日本にとってモデルになると考えています。

簡単に言えば、バンガード級戦略原子力潜水艦（全長150メートル、乗員135名）4隻にそれぞれトライデントⅡミサイルを16基配備している。トライデントⅡは、個別誘導の核弾頭を一基につき3発搭載できる。単純計算すれば、潜水艦一隻当たり48発の核弾頭を装備し、4隻合計で約200発となります。最大200カ所の目標を攻撃できる。常時、必ず1隻は外洋で潜航任務に当たり、仮にイギリスが核攻撃を受け、全土が廃虚になっても、発見されにくい潜水艦から反撃できる態勢を維持する。「連続航行抑止」戦略と言います。イギリスと日本は、島国でかつアメリカの同盟国という共通点があり、参考にすべきところが多いと思います。

ところが日本の政界、マスコミでは、独自核抑止力の保持は、考えることすら許されないという自《じ》縄《じょう》自《じ》縛《ばく》的な思考停止状態が続いています。「日本核武装の議論があること自体は、敵対勢力に一定の牽制効果を持つため結構」と言う人でも、「では、あなたは核保有に賛成か」と問われると、言葉を濁す。これではダメで、現実に即した「核保有に至る道」を示すことが重要だと考え、私の近著『腹黒い世界の常識』（飛鳥新社）では1章を割いて詳細に論じました。

**飯山**　国民は、アメリカの核の傘があるから安心している。

**島田**　アメリカ大統領は、何よりも自国民の命を守るのが使命です。米本土に届く核ミサイルを持った中国、ロシア、北朝鮮に対して、自国民数百万人を犠牲にしてでも、日本のために核反撃するとは基本的にならないでしょう。逆に言えば、「自らは非核三原則という綺麗ごとを掲げつつ、そんなことを外国の大統領に求める日本は身勝手だ」と言われても仕方がない。

**飯山**　票が減る、という認識を持つ国会議員も多いのでしょう。安全保障について一言でも何か話そうものなら、「おまえは戦争を始めようとしている」みたいなレッテルをたちまち貼られる。だから、話さないほうが得策となる。要は自分の保身のために、安全保障については触れない国会議員が多い。

**島田**　中国、ロシア、北朝鮮など、いずれも相手を核で脅すことで政治目的を達成しようとしています。昨今、その姿勢は露骨になる一方です。中東ではイランが秘密裏に核兵器開発を進めている。その最大の標的であるイスラエルは、正確な数はわかりませんが、200発以上の核爆弾を保有していると言われる。日本のインテリはすぐ、核を持とうとしてもアメリカが許してくれないという逃げの議論に走りたがります。いかにも自主性がない。一種の植民地根性でしょう。

**飯山**　日本の意思はどうなのかという話ですね。

**島田**　自ら意思を固めないまま、どうしましょうかと聞けば、米側は、「ややこしいから、やめておけ」と言うでしょう。しかし日本が、自国民を守るため核抑止力を持つと本気で腹を固めれば、アメリカでも、黙認ないし賛同する人間が増えていくと思います。

　1973年の第4次中東戦争で、存亡の淵に立たされたイスラエルは、核武装方針を固めました。イスラエルは不退転の決意と感じ取った当時のニクソン米大統領は、刺激的な核爆発実験を控えるという条件で、独自核保有を黙認する意向を伝えています。

**飯山**　日本で安全保障についての議論を主導しているのは、元外交官や「リベラル」で国連至上主義の大学教員などです。結果として日本は、ずっと丸腰のままでいるだけでなく、丸腰こそ最高なのだとばかりに、「我々日本は丸腰です！」と諸外国に向けて宣伝している始末。

**島田**　その通りですね。イギリスでは、マーガレット・サッチャー政権時代に、核抑止態勢をグレードアップしました。その過程で、アメリカの核の傘の有効性が議論になっています。同盟国アメリカの傘があるから、イギリス独自の核にこだわる必要はない、少なくとも多額の予算を掛けてのシステム高度化は必要ない、といった異論もメディアや議会で少なからず出た。サッチャー政権は、マイケル・クインランという核戦略の理論家でもある国防次官を中心に論点を整理しました。

まず「核に関して、自らの手は汚さず、しかしアメリカの核の傘は歓迎するという姿勢は、何ら道徳的でなく、イギリスの安全に資するものでもない」と基本姿勢を明示しています。そのうえで、アメリカの核の傘の有効性を議論する必要はない、英米関係を悪くするだけ、もし問われれば、「有効です。しかしイギリス独自の核抑止力も持ちます。そのことで同盟全体としての抑止力が高まります」と答えればよい。そう、意思統一しました。

日本の場合はどうでしょうか。岸田氏が典型ですが、「核兵器は許せない。日本は絶対に持たない。非核三原則を堅持する」と言いながら、「アメリカの核兵器に全面的に頼ります」と言う。偽善的かつ無責任という他ありません。

**飯山** 矛盾していますね。

**島田** 日本は3つの核保有国に囲まれている。核の脅威に関して言えば、イスラエルより危険な状態にあります。

**飯山** 本当にそうです。

## イラン、ハマスを支援しているのは、日本の敵国

**島田** もう一つ、イスラエルで参考になるのは、先にも触れましたが、イランの核兵器開発を阻止するため、秘密作戦を含む、相当踏み込んだ行動を取ってきたことです。

**飯山** 日本は戦後、情報機関が廃止されてしまい、国家のために隠密に作戦をする組織がなくなってしまいました。「バランス外交」などと言って、あらゆる国と友好関係を構築すれば日本の安全は守られる、などという荒唐無稽な外交が日本の取り柄だという情けな

い状況です。

**島田**　世界中で、そんな国は他にない。世界は腹黒い。イランは、表面上友好を唱えつつ、日本をたぶらかし、利用することしか考えていません。

**飯山**　イランを支援しているのはどこか。それとハマスを支援しているのはどこですかと言ったら、それは中国、ロシア、北朝鮮。すべて日本の隣国で、しかも核保有国で日本を敵視している国です。全部ずらっと繋がっているのに、日本にはいまだに秘密作戦の一つも行えるような組織がない。なおかつ、イランは伝統的友好国なので、イランの手下のハマスを非難したらきっとイランが怒るから、だからハマスに忖度しておこうというような、訳のわからない対応を日本政府はしている。

**島田**　イスラエルは間違いなく核保有国ですが、持っているとも持っていないとも言わない。イランの核開発については、イラン国内の反政府勢力とも連携しつつ、秘密作戦でつぶす。こうした発想は、日本にはまったくありません。

**飯山**　イスラエルは先生がおっしゃったように、核を持っていないか持っているかというのをはっきりさせない戦略。でも、イスラエルにとっても周辺諸国にとっても、イスラエルは核を持っているというのが前提になっている。トランプ政権の外交もそうですが、自分の持っているカード、あるいは切るカードを明らかにしないことによって担保される安全保障はある。

**島田**　イスラエルは、イランだけでなく、イラン子飼いのテロ組織の攻撃にも晒《さら》されている。国際法を気にして自制するような相手ではない。常に残虐非道なテロの機会をうかがっています。イスラエル国内に浸透しての自爆テロ、拉致、ミサイル攻撃、ドローン攻撃、何でもやる。まさに殺るか殺られるかの世界です。イスラエルはそうした日常を前提に、核兵器を保有し、情報機関による「敵無力化作戦」を実行し、ミサイル迎撃システムを整え、軍の攻撃力を強化しています。

**飯山**　イスラエルはハマスのドローン攻撃に対応すべく、レーザービームでドローンを迎撃する装置を開発しています。兵器開発が国の存亡と直結しているのがイスラエルです。

イスラエルでは徴兵制も採っています。制度だけではなく、国民が一丸となって敵と戦おうという意識も非常に高い。

ところが日本の場合、日本の安全保障が危ないという意識が、国民に共有されていません。だからこそ、安全保障の議論や法案を打ち出すことを議員も躊躇する。むしろ、国境をなくせば世界は平和になるといった、非現実的な空想的平和論がメディアでは好まれる。

こうやって日本は地盤沈下を続けているように思います。

## 日本のメディアはタブーに触れようとしない

**島田**　イスラエルは、事実上の同盟国アメリカも、どこまで頼りになるか分からないとの前提で動いています。ブッシュ長男政権の２００７年、シリアが、イランから資金援助、北朝鮮から技術援助を受けて、核兵器拡散条約に違反した秘密原子炉建設に着手しました。イスラエルが情報を掴み、モサドの長官が訪米して、証拠写真を示しつつ、イスラエルが行動を起こすと「アラブ世界の反発」が予期されるので、アメリカが代わって攻撃してくれないかと頼みました。チェイニー副大統領は、やるべきだと主張しましたが、コンドリーザ・ライス国務長官らが強く反対した。当時は、イラク戦争が泥沼化しており、ブッシュ大統領は、さらなる「戦線拡大」を懸念した。

結局、「アメリカは攻撃できないが、イスラエルがやむを得ないと判断するなら、好きにしてくれ」となりました。その結果、イスラエル自身が空爆作戦を実行したわけです。

シリアは非難の声を上げるどころか、黙って残骸を片付けた。屈辱に耐え、急いで証拠を消しにかかることで、事実上、秘密核開発を自白した。イスラエルが軍事行動に出なければ、シリア、イラン、北朝鮮3者合同の秘密核開発が続いていたでしょう。

日本では、有事の際、アメリカが何とかしてくれるという思い込みが蔓延していますが、甘いと思います。特にバイデンは、議会でコンセンサスができるのを待って腰を上げるタイプで、積極的に前に出ることはないと見ておかねばならない。

**飯山**　甘いですね。イスラエルに対する岸田政権の声明を見ていると、テロ組織に対して「イスラエルが自衛権を行使することすら日本は支持しない」という姿勢を採っている。日本がテロ組織とか、あるいは隣国に攻撃されたとき、岸田政権はどうするつもりなのかと。自衛権を行使しないのかと。どんな相手にやられても、とにかく「事態の沈静化」が最優先であり、やられてもやられっぱなしが一番いいのだ、と言い出しかねません。

**島田**　日本では政治家に加え、マスコミも輪をかけて意識が低い。象徴的な例を上げると、2022年11月6日に放送された『日曜報道 THE PRIME』（フジテレビ）で、フランスの人口学者エマニュエル・トッドが、日本核武装が必要との趣旨を述べたところ、NHK出身の評論家、木村太郎氏が急いで発言を遮《さえぎ》り、論外だと反発して見せました。続いて司会者が「ＣＭです」と議論を打ち切った。

**飯山**　日本のメディアはそんなものです。タブーには絶対に触れようとしない。

**島田**　産経新聞のような保守系メディアでも、「核の議論をタブー視してはいけない」という意見は載っても、実際タブーに踏み込んだ具体論はなかなか載らない。私の正論コラムぐらいではないでしょうか。安倍さんはフェイスブックで「いいね」を付けてくれましたが。

**飯山**　さすがは安倍さんですね。

**島田**　安倍さんは、民間でタブーなき核論議が盛んになって、政治家が本音で発言できる言語空間を広げてほしい、土壌を耕してほしいと考えていたのではないかと思います。

私の独自核抑止力保有論に対して、新聞社や出版社、大学に抗議が押し寄せるといったことはありません。言論界で袋叩きに合うこともない。その程度には、状況は改善されている。木村太郎氏のように必死に核論議を抑え込もうとする人がマスコミから消え、独自核保有を主張する言論人がどんどん出てくれば、政治の場の空気も変わってくるでしょう。

**飯山**　政治家は、自分ではわからない問題について、その分野の「権威」に頼り切ることが多い。そうすると情報源がＮＨＫとか朝日新聞になって、リベラルメディアが呼ぶ専門家は左翼の専門家ばかり。延々とそういうスパイラルがあって、だから憲法に関しては、憲法改正と言う奴は学会に残れないとか、中東問題に関しては私みたいに「イスラエルに自衛権がある」とか、「パレスチナはハマスに支配されているから、解放するにはハマスを解体しろ」とか言うと、追い出される。

安全保障についても、核保有とかを言い出すやつは、「核」の「か」を言い始めた時点で、すぐ排除。非常に閉鎖的な学問世界があって、日本の議論とか発展を停滞させている。しかも、学会とか大学の構造は、一人の人間がいきなり変えるのは無理。島田先生や私のような人間が、裾野から議論を進めていくのは、打開策の一つだと思います。

**島田**　飯山さんの本は次々ベストセラーになっています。私の本も、それなりに売れている。われわれの議論に触れ、「こちらのほうが本物だ」と感じる若い研究者が徐々に増えてくれると期待しています。

ただ、そういう人が大学でポジションを得られるかというと、そこは別問題。左翼が固まって人事を押さえている状況を打破するのは大変です。第2章でも話が出ましたが、若い研究者の受け皿となる保守系シンクタンクが次々できればよいと思います。

## 日本はイランの体制をまるで理解していない

**島田**　アメリカなどで「新・悪の枢軸」と位置付けられるのは、中国、ロシア、イラン。その舎弟格に、北朝鮮やシリア、ベラルーシがいる。プーチンはとんでもない超ナショナリストで、彼がロシアの利益と考えるものを拡大するためなら何でもやる。ただロシアでは、ライバルに立候補させない極めていびつなものとは言え、一応民主的な選挙が行われている。イデオロギー的に絶対、勢力拡張を許してはならないのは、ファシズム中国とイスラム・ナチズムのイランです。

**飯山**　日本は中国、ロシア、北朝鮮の隣国ですから、ひとごとではありません。

**島田**　アメリカの保守派は、イランのハメネイ体制と北朝鮮は同類と捉えています。だから、「日本は北朝鮮に厳しいのに、なんでイランには甘いのか」とよく聞かれます。イランは、デモが発生したというニュースが断続的に流れますが、どの程度の自由があるのか、そのあたりを飯山さんに解説いただければ。反政府デモも、ある線までなら許されるんでしょうか。

**飯山**　いいえ、基本的に許されません。イランで行われている反政府デモは、いわゆるフラッシュモブ的なもので、当局に許可されてやっているわけではありません。それどころか、当局は参加者を銃撃したり拘束したりしています。1年前にはマフサ・アミニさんという女性が、ヒジャブの不適切な着用を咎《とが》められ、警察に拘束され、死亡したという事件があり、それに抗議するデモが全国で発生しました。

**島田**　確か20歳ぐらいの若い女性ですね。

**飯山**　そうです。2022年9月のことです。彼女の事件があってから反体制デモが盛り上がった。今、活動が下火になっているのは、どんどん人が殺されたり、処刑されたりしているからです。そんなことが繰り返されています。

**島田**　イランの自由民主活動家ナルゲス・モハンマディという女性が2023年、ノーベル平和賞を受賞しました。彼女の不当逮捕、拘禁は論外ですが、幸い、まだ処刑はされていない。北朝鮮なら、即公開処刑だと思いますが、イラン当局は、どういう意図で彼女を虐待しつつも生かしているんでしょうか。

**飯山**　彼女のような人はたくさんいて、実際に処刑される女性もたくさんいます。当局の事情はわかりませんが、生かすも殺すも当局次第という、そういう恐ろしい国家がイランだということです。

**島田**　若いアミニさんが死亡したヒジャブ事件に抗議して、イランの女性たちがデモをしていました。要求の中心は何だったんでしょうか。

**飯山**　イランでヒジャブの強制に反対するデモがあるのは、一時期報道されていたけれど、日本人はその報道の意味を勘違いしている。どう勘違いしているかというと、日本でもＫｕＴｏｏとか言って、日本の職場で女にハイヒール履くのを強制するなとかいう活動をしていた人がいた。イランの女性の活動も、それと同じようなものだと思っています。

イランの女性だって、ヒジャブをするんじゃなくて、おしゃれがしたいと間違えて、誤解している人が結構いるんです。彼女たちにとってヒジャブというのは、イスラム体制、神権体制の象徴。彼女たちはヒジャブを取っておしゃれをしたいという願望を抱いているわけではなく、女性にヒジャブをかけて黙らせて支配しようと、そういうイランの革命体制、イスラム体制に反対している。そういうメッセージが日本にまったく伝わっていない。

**島田**　なるほど。そこは重要ですね。ちなみに１９７９年のイスラム・ファシズム革命以前のパーレビ国王時代は、ヒジャブを取って歩いてもよかったと記憶しています。

ノーベル平和賞について言えば、選考はノルウェー議会が決めた5人の委員が行います。ノルウェー議会はリベラル派が中心で、授賞にもそうした傾向が現れる。今回、イランの反体制女性を選んだのは、ヨーロッパ・リベラルが、イランの体制については、公の機関が批判してもよいと判断しているからでしょう。2021年には、ロシアの反体制ジャーナリストが授賞しました。新・悪の枢軸のうち、イランとロシアに対しては、公式に非難の声を上げたわけです。

ところが中国に対しては、そうではない。ウイグル人の人権活動家や香港の民主活動家、例えば不当に拘禁されている、今はつぶされた『リンゴ日報』元社主の黎智英氏（76）や、かろうじて香港を脱出したが、家族を人質に取られ、中国特務機関に追われる若い女性の周庭さんなどに平和賞を与えて国際世論を盛り上げるべきだと思いますが、そこは腰が引けている。中国の報復を恐れるからでしょう。

2010年、民主活動家の劉暁波氏（2017年、獄中で死去）がノーベル平和賞を受賞したとき、中国はすぐにノルウェーの海産物の輸入停止など報復措置を取った。こうした場合には、自由主義圏諸国が、代わりに輸入するなどノルウェーを支える体制が必要です。

**飯山**　日本は、どうしているのですか。

**島田**　日本は中国政府に目を付けられないよう、頭を低くしているというところでしょう。なお、ノルウェーがやられた先例に照らせば、福島原発の安全な処理水放出に対して中国が取った海産物輸入禁止テロは十分予測の範囲内でした。

## 抑止力とは、やってきたら、やり返すこと

**飯山**　新・悪の枢軸に関連して、もう一つお聞かせください。2023年8月にキャンプ・デービッドで日米韓首脳会談がありました。もちろん、新・悪の枢軸において北朝鮮は、おまけみたいなものでしょうけれど、ただ今般は中国包囲網を強めると表明した。このことに関しては、先生はどうお考えですか?

**島田**　韓国の前大統領文在寅は「北朝鮮の召使い」と言われました。それが北に対決姿勢を取る尹錫悦政権に変わった。明らかに日米にとってプラスです。文在寅政権は事実上、北のスパイ集団でしたから。

一方、バイデン政権は、不見識な左翼迎合が目立ち、前トランプ政権に比べ、腰が弱い。

中国に対して、トランプ政権は、歴代米政権で初めて最先端テクノロジーの本格的禁輸に踏み込みました。ＦＢＩや司法省に中国シフトを敷かせ、米国内の知財窃取《せっしゅ》スパイ網に対する法執行も格段に強化しました。

ところがバイデンに替わって、いずれの面でも緩んでしまった。次男のハンターがらみの闇資金問題で中国側に弱みを握られ、脅されているのも弱さの一因と共和党側は見ています。中国包囲網に関しては、議会共和党が主導している状態で、バイデン政権にリーダーシップは期待できません。口だけです。

その分、日本が自主的に取り組まねばならない。北朝鮮のミサイルについては、打ち上げた、また打ち上げたと同じパターンのニュースばかりのこともあって、慣れが生じ、米政界やマスメディアの中心的関心から外れた状態が続いています。

**飯山**　だからこそ、日本あたりが警戒もしないといけないし、国際的にも注意喚起しないといけない。

**島田**　この本が出るとき、岸田氏がまだ首相かどうかわかりませんが、北朝鮮に対する抑止力強化は日本が率先して当たるべき課題です。もちろん拉致問題もそうです。北や中国のサイバー攻撃にしっかり反撃して、抑止力を確保すべきですが、日本政府は「専守防衛に反する」などと腰が引けたままです。

一方、米韓の軍部や情報機関は積極対応の構えなので、キャンプ・デービッド会談などでどんな立派な三者声明を出そうが、行動の次元で、日本だけが落ちこぼれた状態にあります。

**飯山**　ハマスがイスラエルにテロを始めたのが２０２３年10月７日。11月１日には自民党のホームページがサイバー攻撃に遭いました。パキスタンのハッカー集団を名乗るグループが「われわれは日本への攻撃を開始した」と犯行声明を発表し、理由について、「日本がイスラエル製のシステムを使っているため」などと説明しています。日本はタンカーも攻撃され、サイバー攻撃も受けている。にもかかわらず日本は、いまだに「バランス外交」にしがみついている。

**島田**　抑止力とは詰まるところ、「やってきたら、やり返す」という反撃力です。やり返せなければ抑止力は働かない。専守防衛は、言い換えれば、抑止力の放棄です。相手は安心して、「数撃ちゃ当たる」で攻撃し放題となる。アメリカ、韓国に限らず、日本以外の国はみなやり返します。「平和憲法」護持の日本だけが例外です。

私も一度、国際的なサイバー戦に巻き込まれたことがあります。北朝鮮のハッカー部隊がマイクロソフトのホストコンピュータに私の名前と住所を使って侵入した事件です。アメリカの裁判所から書類が送られてきて気づかされたのですが、マイクロソフトからの情報窃取と、私へのハラスメントの一石二鳥を狙ったようです。北朝鮮としては、日米の連携強化は出来る限り阻止したい。私は米下院公聴会で、拉致問題に関して証言するなど、その日米連携に民間の立場から当たってきたので、北にとって鬱陶しい存在なのでしょう。

ともあれそのとき、日本国民である私が被害に遭ったのだから、日本政府として北に反撃してもらいたいと、警察サイバー部門の人間に話をしました。しかし結局、防衛省、外務省も交えて上層部で相談した結果、アメリカに対応を任せるとの結論になったそうです。日本から北朝鮮のコンピュータ・システムに侵入となると長距離攻撃に当たるため自衛の範囲を超え、憲法違反になるといった議論も出たそうです。

しかし、サイバー空間においては、隣の席に座っている人間も、地球の裏側にいる人間も変わりない。なぜ長距離攻撃といった話になるのか理解不能です。要するに、攻撃行動を起こしたくないわけでしょう。これでは国民を守れない。

**飯山**　日本は敵国から見たら、本当にやりたい放題。何をやっても、何も言ってこない。やり返してこないので、アメリカを刺激するにはちょうどいい相手だと思われている。だから日本が狙われるのです。イランも日本のタンカーを攻撃した。イランの手下のフーシーも日本の商船を拿捕《だほ》した。これは、北朝鮮が日本に向けてしょっちゅうミサイルを撃ち込んでくるのと同じ意味があります。

**島田**　2023年8月、ワシントン・ポストに興味深い記事が出ました。トランプ政権時代に、マット・ポティンジャー国家安全保障担当副補佐官が来日し、防衛省のコンピュータ・システムが中国にハッキングされているから共同対処しようと申し入れたが、日本側が断わったとの内容です。

ポティンジャーは中国語に堪能です。何度か会ったことがありますが、童顔ながら、元海兵隊員のしっかりした男です。米情報関係者によると、アメリカとしては本来、黙っておきたかった。アメリカも日本の防衛省コンピュータに侵入していたからです。中国の侵入を発見できたのも、アメリカが自ら侵入していたからに他なりません。

日本が米戦闘機を幾らの値段なら買うといった情報を取れれば、アメリカの国益に資する。情報機関同士のスパイ合戦は、国際公式試合みたいなもので、遠慮の必要はない。日本のシステムのセキュリティを改善させると、アメリカとしては情報を取りにくくなる。だから本当は黙っていたい。

しかし日本側の態勢があまりにボロボロなので、これではアメリカが日本に与えた機微な情報も、全部中国に筒抜けになる。損得を計算した上で、やむなく教えたわけです。反撃しない日本は怖くないから、四方八方からやられ放題なのです。

**飯山**　多くの人は、日本が世界から舐められていることを知りません。岸田政権のバランス外交で、日本はすべての国とうまくやっていると思わされています。実際にはいろいろなかたちで攻撃されているという認識すらない国民が多いでしょう。

島田先生が第1章でお話しになりましたが、例えば安倍元総理が２０１９年にイランに行ったとき、まさにその日にイランが日本のタンカーをオマーン湾で攻撃したことが報道されて、その事実をメディアも一応伝えたことは伝えたのですが、「大したことはない」という伝え方をし、政府も「事なかれ主義」を貫いている。そして相変わらず「イランは日本の伝統的友好国」だと言い続けているわけです。

**島田**　日本は石油資源の９割以上を中東に依存しているので、その地域で反発を買うと困る。だからみんなに良い顔をしておく。アメリカもイランに優しくしてくれたらいいな、といった発想です。これはバイデンには通じても、共和党強硬派からは馬鹿にされるだけです。

**飯山**　安倍氏はアメリカとイランを自分が仲介するんだと言って、イランに行った。それに対してイランは、安倍氏がイランの最高指導者ハメネイと会ったその日に、日本のタンカーを攻撃した。安倍氏はその後、トランプ政権の国務長官だったポンペオ氏に電話をして謝罪したそうです。なぜかというと、ポンペオ氏は事前に、イラン行きについて安倍氏に警告していたからです。安倍氏はここで、イランに宥和政策は通じない、イランは日本の「お友達」などではまったくないことを学んだはずです。しかし安倍氏なき今、日本の政府も外務省も、そんなことなどなかったかのように「イランは伝統的友好国」だと言い続けている。

**島田**　安倍さんの対イラン外交に関しては、ポンペオに加えて、ボルトン元大統領安保補佐官も回顧録で、「安倍の対イラン姿勢は、対北朝鮮姿勢との整合性を欠く」とコメントしています。北に対して厳しい制裁を追及しながら、同類のイランには制裁緩和を含む優しい対応を望む、おかしいではないかというわけです。安倍さんだけの問題ではありません。日本外交の痼疾《こしつ》でしょう。

**飯山**　米当局者に指摘されている問題を、日本では誰一人指摘しない。中立的立場にあるはずの「専門家」も外務省から大量の補助金をもらっているからか、政府の外交方針に阿《おもね》る発言しかしない。このままでは、この愚かな外交に引っ張られて日本全体が沈没します。

# 第5章

# 国民の意識が変わってきた今こそ「核抑止」の議論と準備を

## 「唯一の被爆国だから、核兵器を持ってはいけない」の矛盾

**飯山**　これまでも話題にのぼっていましたが、なぜ日本の新聞、テレビでは、核武装議論がタブーなのか。タブーのままでは日本の危機を招くのではないか、ということについて非常に重要なことなので、島田先生により深くお聞きしたいと思います。

**島田**　新聞、テレビはもちろん、政界でも学界でもそうですが、一番よく見られる議論は「日本は唯一の被爆国だから、核兵器を持つなど、考えることすら許されない」というものです。これは簡単に反論できます。

以前、なぜ核配備を進めるのかという朝日新聞の問いに、パキスタンのシャリフ首相（当時）が答えていました。「もし1945年8月の時点で、日本が核報復能力を持っていたら、アメリカは絶対、広島、長崎に核を落とせなかった」。パキスタン政治の評価はさておき、非常にシンプルで分かりやすい意見です。岸田首相とは「広島、長崎の教訓」の捉え方がまったく逆と言えます。

北朝鮮や習近平中国、プーチン・ロシアが第二次大戦末期のアメリカ政府より人道的かつ抑制的と考える人はいないでしょう。ところが、このパキスタン首相の常識的認識は、日本の国会においてはタブー中のタブーであり続けている。

一方で、先にも触れましたが、日本はアメリカの拡大核抑止力、いわゆる「核の傘」に全面的に頼っている。だから岸田氏は、右方面から、その無責任を叩かれると同時に、左方面からも、「あなたに核廃絶を唱える資格はない」と、こちらは国際的規模で批判を浴びている。論理的に完全に破綻しているから、当然です。

**飯山**　核武装は、日本にとっても現実的な問題だと思います。

**島田**　安倍首相が体調悪化で一度目の退陣をし、再び首相になるまでの自民党野党時代に、あるシンポジウムで同席したときのことです。独自核保有が話題にのぼり、安倍さんが「日本では、政治家が核武装を口にすると、即死する」と印象的な言葉を発しました。

その後、安倍首相は、再度の体調悪化で二度目の退陣をしたあと、核共有（ニュークリア・シェアリング）を示唆するところまでは踏み込みましたが。

**飯山**　そうですね。

**島田**　そのとき私は、「即死」の危険を抱えた政治家ですらここまで踏み込んだ以上、言論人や研究者は、さらにタブーを踏み越えてほしいというのが安倍氏のわれわれに向けたメッセージだと受け取りました。だからというわけではありませんが、私は、独自核抑止力の保持を、具体的道筋に即して主張しています。なかなか賛成の声は広がりませんが。

**飯山**　政治家の中に安倍さん以降、独自核武装とまではいかなくても、核共有についての議論を進めていこう、というふうに自ら主張している人はいますか。

**島田**　自民党の青山繁晴参院議員や山田宏参院議員など「日本の尊厳と国益を護る会」に集う政治家たちは、ある程度主張していると思います。核共有までは、安倍さんがテレビで言及したほどですから、ある程度、口にする議員はいます。

しかし、核共有というのは、運搬手段に関して同盟国も責任を分担するという意味で、核のボタンはあくまでアメリカ大統領が握っています。日本にシェアしてくれて、日本独自の判断で使えるということではまったくありません。私は、独自核抑止力の保有まで踏み込まなければ、日本の安全は確保できないと考えています。

**飯山**　タブーは、「核武装」という言葉。同じ話をするにも、例えば「日本も核抑止力を持つべきだ」という話をするのと、「日本は核武装をすべき」と聞くのとでは、受けるイメージがすごく違う。

**島田**　その通りだと思います。だから私は、「独自核抑止力の保有」という言い方をしています。昨年末、ノンフィクション作家の門田隆将氏が紹介した中国人インフルエンサーの発言が、一部で話題となりました。その若い男は、正面を見据えながらこう語りました。「なぜアメリカ人は日本人への憎しみを捨てられたのか？　なぜなら彼らは自らの手で長崎と広島を焼き払ったからだ。…仇敵は滅ぼされるべきだ。彼らを赦すのは神の仕事だ。私たちの義務は、彼らを神のもとに送る事だ」。

こうした発想の人間を周りの中国人が抑えようと思えば、「日本に核を撃ち込んだら、日本から核を撃ち返されて、われわれも全員死ぬじゃないか。馬鹿なことを言うな」しかありません。

おっしゃる通り、言葉の選択は、政治において非常に重要です。「独自核抑止力の保有」という表現で責任ある議論をする政治家が次々と出てきてほしいですね。

**飯山**　二度と広島、長崎のようなことを起こさないために、じゃあ具体的に日本ができる最善の方法は何だろうか考えたとき、当然、独自核を持つという話になる。それは合理的にわかる話だけれど、そこを理解するのを邪魔するような感情が先走る。たぶん、だんだん理解を深めていくみたいな感じになるのか。それすらも、なかなか広まらないで、お花畑な現在が続くのか。誰か力のある政治家が多くの人に拒否感を持たれないで議論を進めていけるようになったら、それこそが日本の安全保障に本当に直結することですね。

## 日本は現実の環境に照らした議論をせよ

**島田**　韓国の尹錫悦大統領は、就任後、独自核抑止力の保持を考えるべきだと発言しました。韓国政治においては、タブーなく核保有を語る姿勢が一般的です。

**飯山**　一般的なんですか？

**島田**　はい。韓国の世論調査では、おおむね6割超から7割超が「独自核、原潜保有」に賛成と答えています。この世論が背景にあるから、政治家も率直な言が吐けるわけです。同じく北朝鮮、中国の核の脅威に晒されながら、日本は「アメリカに任せて思考停止」状態が続いています。

その言い訳としてよく持ち出されるのが、「日本は第二次大戦の敗戦国だから」「日本は侵略戦争をやった国だから」などです。侵略戦争云々《うんぬん》は歴史認識の問題です。ここでは深掘りしませんが、当時の国際情勢に照らせば、日本にだけ非があったわけではない。
　敗戦国云々については、戦争が終わってせいぜい10年程度の頃なら、まあ世界もうるさいから少し辞《じ》を低くしておこうといった態度が、戦術的にあり得るかもしれない。しかし戦争が終わってもう80年です。まだ、「敗戦国だから」で逃げるのは、明らかにおかしい。
　実際、戦勝国側のアメリカでも、著名な辛口評論家のチャールズ・クラウトハマーが2003年あたりから、「われわれは一体いつまで、日本降伏のニュースを聞いたことがないがごとく振る舞っているのだ。日本はイギリスに次ぐ最も重要かつ信頼できる同盟国だ」としたうえで、日本が独自核を保有し、抑止力をアメリカと分担してくれるなら、歓迎すべき話だとする論陣を張っていました。

**飯山**　本当に、そうですね。

**島田**　アメリカでも、そうした議論は少なくありません。「日本は腹を固めたな。変に反対すると日米同盟がおかしくなる」と思えば、同調する人は増えるでしょう。最初に来るべきは、日本の意志です。

**飯山**　最近のことだと、「ウクライナは、なぜロシアに侵略戦争を仕掛けられたんだ」という背景を考えるとき、ウクライナが核兵器を放棄したという事実はやはり欠かせない。

もしウクライナが核兵器を持っていれば、ロシアは侵略戦争を仕掛けることはなかったのではないか、という議論は当然あるわけです。こういう実例を目の当たりにし、それでもなお、核抑止力を日本が持つことについて議論すらしないというのはおかしいと思います。

**島田**　安全保障論は、現実の環境に基づかねばならない。もし日本が、パプアニューギニアやサモア、フィジーのような国ばかりに囲まれた南の島国なら、差し当たって核抑止力を考える必要はないでしょう。

しかし現実には、中国、北朝鮮、ロシアと対峙《たいじ》しているわけです。核に関する限り、世界で最も危険な立場に置かれていると言っても過言ではない。イスラエルも大変な状況下にありますが、主敵であるイランは、まだ核兵器を実戦配備していない。先にも述べた通り、イスラエルが各種の秘密作戦により物理的に阻止してきたからですが。そこも太平楽の日本とは大いに違う。

イスラエルのように、持つとも持たないとも言わずに、静かに、密かに核抑止力を保有するぐらいのことを、国民の命に責任を持つ政府なら、当然考えねばならないはずです。

**飯山**　どうして、そんなに馬鹿正直に「自分たちは何も持ちません」「やられても、やり返しません」みたいなことを言うのか。丸腰ということを高らかに宣言することこそ日本の外交だ、みたいな感じになっているけれど、戦術的には完全に誤っています。

**島田**　宮家邦彦氏など外務省関係者がよく持ち出す逃げの一手は、「日本が核兵器拡散防止条約（ＮＰＴ）から脱退して、独自核保有に向かえば、世界からウランを一切供給してもらえなくなり、原子力産業が立ち行かなくなる」という議論です。だから持てない、というわけです。

**飯山**　ファクトとして間違っていますよね。

**島田**　はい。２００８年、アメリカのブッシュ政権が主導して、ＮＰＴに加入していないインドの「例外化」が決まりました。すなわち、まず原子力供給国グループ臨時総会で、核不拡散におけるインドの「責任ある実績」を評価し、「例外として」原子力民生協力ネットワークに参加させる旨が決議されました。つまり、今後は海外から、インドが必要とするウランや核関連物質を供給するということです。続いて国際原子力機関（ＩＡＥＡ）の理事会でも同様の決議がなされました。

インドが例外扱いされて、日本が例外扱いされないなどという事態は、起こり得ません。外交官なら、当然分かるはずでしょう。「インドには経済制裁しないが、各国にとって経済的により重要な日本にはする。どんな理屈でそうなるのか。説明してほしい」と言えば、みな黙ってしまいます。要するに、自らタブーを肥大化させて、思考停止しているのです。

**飯山**　とにかく議論は進めさせないという、強い意思を持った人たちが外務省にいるんですね。

**島田**　そうです。政官学界全体にと言うべきかもしれませんが、特に外務省の場合、NPT脱退と聞いただけで、瞬時に脳内の血流が止まる人が多いようです。保守系言論人とされる人々でも、まず「持てない理由」を探しにかかる傾向が強い。大学教員なら、学会で白眼視されるんじゃないかと気になる。決定的な一歩がなかなか踏み出せないんですね。

## 日本のメディアはタブーに触れようとしない

**島田**　タブーなく核の議論をすべき、と言う人は徐々に増えています。しかし、「では私が唱える、イギリス型の核抑止戦略に賛成してよ」と言うと、ほとんどの人は口ごもる。

**飯山**　だって、島田先生からしか聞いたことがない（笑）。

**島田**　私が役員を務める国家基本問題研究所（櫻井よしこ理事長）でも、核に関して見解をまとめようと問題提起がなされてきましたが、なかなか議論が進まない。

私は、核共有を含むアメリカの拡大核抑止力活用と日本独自の核抑止力保有を重層的に捉えて、同時並行で進めればよいと主張していますが、やはり独自核保有についてはタブー視する空気、あるいは考えても無駄と諦めてしまう空気がまだあります。日本の独自核保有と、同盟国アメリカの拡大核抑止力活用とは、二律背反、二者択一じゃないでしょう。

**飯山**　両方です。

**島田**　イギリスも両方を追求してきました。同盟の結束力を示すうえで、核共有にも意義はあるでしょう。しかしそれだけでは、日本の安全は確保できない。

**飯山**　国基研でもそうなのですか。

**島田**　国基研でも、やはりまだ、まとめ切れない。まあ難しい問題だから、やむを得ませんが。しかし、いい加減、日本国として踏み出さないと手遅れになる。我々の世代の責任が果たせません。

アメリカの核に頼るとは、現状に照らせば、腰の弱いバイデン大統領や、もしもの場合跡を継ぐ「逃げ隠れ以外能がない」カマラ・ハリス副大統領に日本の運命を預けるということです。トランプはかつて、「日本が独自に核を持って北朝鮮の狂った男を抑える。アメリカにとっていいことじゃないか」と述べました。その時バイデンは、「われわれが核を持てないように日本の憲法を書いたことをトランプは知らないのか」と批判した。
しかし、このバイデンの認識は誤りです。「憲法上は持てるが、政策として持たない」が一貫した日本の政府見解です。もちろん独自核保有に当たっては、同盟国アメリカと緊密に意思疎通する必要がありますが。

**飯山**　知的ガッツのある政治家が求められますね。

**島田**　先に、宮家氏はじめ外務官僚に苦言を呈しましたが、やはり主導すべきは政治家です。アメリカは、共和党トランプ政権のときにユネスコや国連人権理事会から脱退し、拠出金支払いを停めました。テドロス事務局長以下幹部の姿勢が中国寄り過ぎるとして、世界保健機関（ＷＨＯ）からも脱退表明しています。国務省は強く抵抗しましたが、政権側が、国益の観点から実行したわけです。

**飯山**　そうですね。

**島田**　しかし、国務省官僚機構に寄り添う民主党バイデン政権になって、トランプが脱退したすべての国際機関に復帰し、拠出金支払いを再開しました。国務省は明らかに、民主党政権の継続を望んでいます。

**飯山**　主体性のない政治家が外務省の言いなりになって外交をやる、という今のあり方は間違っていると思います。

**島田**　外務省も国務省も、官僚機構の常として、省益、すなわち自分たちの権益拡大を第一に考えます。参加する国際機関の数が多ければ、それだけ予算増、人員増につながる。財務官僚が、新たな税をつくったり、消費税増税を実現したりすると、省内で評価され、出世できるのと同様、外務省や国務省では、新たな条約や合意文書をつくったり、相手がどんな国であれ国交正常化を実現したりすると、出世できる。

だから北朝鮮との関係でも、外務官僚は、拉致のような「厄介な問題」は棚上げして、日朝国交正常化に走ろうとしがちです。外務省的枠組みにおいては、大きな功績になるからです。

**飯山**　一般国民からしたら、そんなこと知るかという話です。

**島田**　現実から遊離し、かつ、相手が守るはずもないことを文書化しても、足かせになるだけです。しかし交渉が続くだけでも、頻繁にテレビに顔が映るし、特にアメリカの場合、顔が売れると、民主党系のシンクタンクに高給で雇ってもらえる。だから何をおいても交渉を維持しようとする。北朝鮮あたりが、席を蹴るパフォーマンスに出ると、慌てて譲歩に走る。やはり政治家がリーダーシップを発揮し、手綱を引き締めないといけない。
その点、百田尚樹氏と有本香氏が率いる日本保守党が、核戦略を含め、どういう外交安保政策を打ち出していくのか、注目しています。

**飯山**　中国共産党にしても北朝鮮もそうですけれども、日本が本当に怒って、いよいよ独自核抑止力の保有に向かい出したとなれば、これは相手にとって一番怖い。日本を変に刺激するとまずいな、となる。日本の禁域を侵すようなことはやめておこう、となるはず。

**島田**　その通りだと思います。

## 度重なる日本船へのテロによりバランス外交の間違いは実証されている

**島田**　次に、岸田政権の中東外交について、飯山さんに解説をお願いしたい。

**飯山**　長年の中東外交の過ちを修正できないままズルズルと失敗を重ねているのが、岸田政権です。2023年11月19日、紅海で日本郵船が運航する貨物船が、フーシというイエメンの武装勢力に拿捕された。報道では「拿捕」という言葉が使われていますが、実際には海賊行為、あるいはテロ攻撃です。武装したテロリストがヘリコプターに乗って甲板に降り立ち、船員に銃を突きつけて制圧した。岸田氏はフーシのボスであるイランの大統領に電話をして船の解放を要請しましたが、梨の礫《つぶて》です。

日本は中東でバランス外交をやって、あらゆる国と友好関係にあるので、日本の船の安全は守られる、という日本外交の「前提」はすでに崩壊しているという事実を、さすがにもう認めるべきです。

**島田**　2021年にもオマーン湾で、日本企業が所有し、イスラエル系企業が運航するタンカーがイランの無人機攻撃を受けた。死者が2人出ています。

**飯山**　たびたびお話に出ていますが、2019年にも安倍元総理のイラン訪問時に日本のタンカー「コクカ・カレイジャス」が攻撃され、穴を開けられました。「イランは伝統的友好国」などではなく、アメリカを敵視し日本を攻撃してくる、そういう国であることを認識し、客観的現状認識に基づく外交に転換していかないと、日本の国益は損なわれるばかりです。

**島田**　当時のトランプ政権に加え、英独仏3カ国も、イランの犯行に間違いないという声明を出しましたね。被害を受けた日本政府だけが、イランを名指ししなかった。首相の訪問時という、徹底的に舐められ、貶《おとし》められた形なのに。

**飯山**　日本国内向けには曖昧なことを言って、ごまかして。相手は、日本に対しては何をやったって大丈夫だなと思っているはずです。

**島田**　バランス外交というと聞こえがいいが、四方八方から殴られ、蹴られ、倒されながら、そのつど起き上がってはカネを払う「ＡＴＭ付き起き上がりこぼし」です。フーシ派の背後にイランがいるというのは、日本以外では常識ですね。

**飯山**　アメリカはイランの責任だと、はっきり言っていますね。

**島田**　例の「狂乱」大学教員、池内某グループなどは、どう説明しているんでしょうか。私は、彼らからXでブロックされているので、よく知りませんが。

**飯山**　私もブロックされているのでわかりません。彼は私をブロックしてなお、私の悪口を言い続けているようで、本当に気持ちが悪い。

**島田**　その執着心、粘着力の一部でも、研究に向けるべきです。

**飯山**　池内氏は3年で6億円以上という多額の補助金を外務省から得ているのですが、その「補助事業の実施体制」には、「外務省等の関係部局とのコミュニケーションを構築し、政策立案上のニーズを把握し、それを踏まえて効果的にアウトプット・政策提言を行ったか」云々と記されています。彼は外務省と緊密に連携し外務省のニーズに応じた働きをすることを条件に外務省から補助金を得ている、という客観的事実があります。

**島田**　いわゆる「外務省のペット」というやつです。公金を用いた、官庁と御用学者の典型的な癒着です。

## イランの機嫌をとっても、何の意味もない

**島田**　日本は原油のほとんどをサウジ、ＵＡＥ、カタール、クウェートから買っています。中でもサウジとＵＡＥの割合が大きい。サウジやＵＡＥの敵であるフーシ派は日本経済にとって明らかに敵です。フーシ派のスポンサーであるイランも、普通に考えれば敵。ところが外務省からも、外務省と利権でつながっている中東研究者らからも、そうした常識的な分析が出ない。あくまでイランは友好国と位置付けられる。

**飯山**　外務省から補助金をもらう条件がそうなっていますからね。外務省の言いなりになる学者にだけ外務省がカネを出す、そういう学者だけがメディアに露出する、だから外務

省の大方針は変わらない。こういう仕組みが構築されているからこそ、日本の外交は変わらないのでしょう。

**島田**　残念ながらそうですね。アメリカのように、厳しく追及するだけの知識と見識を持った議員もいない。

**飯山**　政治家の不勉強、それに「専門家」と外務省の馴れ合いが、日本の中東外交を旧態依然としたものにしてきた。その実害が、すでに現れ始めています。日本郵船の船の拿捕しかり、自民党へのサイバー攻撃しかりです。

**島田**　現実に目をふさいだ「テロ誘発外交」です。

**飯山**　中東海域の船舶の安全に関しては、日本はアメリカが主導する「海洋安全保障イニシアティブ」にも入っていません。「イランとの関係」を踏まえてそうしているのだ、と政府は説明しています。しかし、このようなかたちで米軍と距離をとったフリをしても、日本は現実には日米安保に依存している。だからこそ、表面的にイランに忖度したところで、イランはお構いなく日本の船を攻撃してくるのです。

**島田**　相手が自分をどう見ているかまったく分からないというのは、幼児の特徴です。なおアメリカの場合、レーガン政権とトランプ政権が、例外的にしっかりした中東政策を進めていたと思います。イランを敵と明確に位置付け、どんどん制裁を強化した。そして、サウジアラビアおよびイスラエルとの関係は強化した。サウジが石油供給量を増やすと、国際的に原油価格が下がり、原油輸出が財政の柱であるソ連（ロシア）やイランは苦しくなる。レーガン時代やトランプ時代は実際そうなりました。戦略的にその方向に誘導したわけです。

バイデンはすべてにおいて逆をやり、当然ながら、中東情勢のみならず国際情勢全般を不安定化させた。日本は間違っても、バイデンに寄り添ってはならない。

**飯山**　政治的な主導権を発揮する人が誰もいないからこそ、中東外交が特定の外務省の人とか国際政治学者とかの利権の温床として温存されるという構造があります。

## 大勢に逆らうと、学会に居残れない

**島田**　東大法学部の国際政治学講座の初代担当教授は坂本義和という、福島〝現実を〟みずほ以下の非武装中立論者でした。大学の人事は閉鎖的なので、今でも基本的に、その系譜が受け継がれています。彼らの授業を真面目に聞いた学生ほど、国際政治の現実が見えなくなる。三浦瑠麗さんあたりも、その犠牲者かも知れません。

私は幸い、京大に行ったため、高坂正堯教授の門下に入ることができ、まともな国際政治学を学ぶことができた。受験勉強が足りず、東大の門が遠くてよかったです。

**飯山**　そうなんですか。

**島田**　東大を出てハーバード大学ケネディ・スクール（行政大学院）留学というと、自民党あたりでは一目置かれ、出世に繋がるようですが、非常に問題です。茂木敏充、林芳正、上川陽子氏らがそれに該当しますが、ケネディ・スクールは民主党系政治家・官僚の養成学校です。

かつて政権発足に当たって、側近が、「この労働長官候補は、ケネディ・スクールを優秀な成績で出ています」と語り始めたところ、レーガン大統領が、「その男のマイナス面はいいから、プラス面を聞かせてくれ」と遮った話は有名です。米保守派においては、ケネディ・スクール出身というと、むしろ懐疑の目で見られます。

自民党も、保守政党を標榜するなら、そのあたりを念頭に置くべきでしょう。ハーバード大やカリフォルニア大バークレー校は左翼の牙城《がじょう》というのは、アメリカを知る人にとって常識です。

**飯山**　そうですよね。コロンビア大学もひどいとか。

**島田**　小泉グレタ進次郎氏が、親の七光りであそこの大学院に行きましたね。

**飯山**　ハーバード大学やペンシルベニア大学、ＭＩＴなどでは今、キャンパスでハマスのテロを正当化したり、ユダヤ人虐殺を呼びかけたりする活動が展開されており、この３大学の学長はアメリカの議会の公聴会に呼ばれて責任を追及されました。彼らは「ユダヤ人を虐殺せよ！」などといった反ユダヤ主義の主張も状況により許されるなどと、容認する発言をした。ペンシルベニア大学の学長は、この問題で辞任しています。

**島田**　ハーバードの学長も、論文盗作疑惑も絡んで、先に触れた通り、結局辞任に追い込まれました。アメリカの左傾大学のキャンパスは、トランプが大統領に就任以来、混迷に歯止めがかからなくなった感があります。

従来から左翼学生は多かったし、教授陣も左翼が圧倒的多数でしたが、昨今は、保守系の名士を講師に呼んだり、卒業式のスピーチを依頼したりすると、大声でやじり倒す、妙な液体を投げつける、入室を阻止する、控室に乱入するなどの異常な事態にしばしば至る。以前は、ここまでのことはなかった。トランプ錯乱症候群の一種でしょう。

**飯山**　ブラックライブズマターや、「ユダヤ人を虐殺せよ！」という呼びかけも、完全に正義として扱われ、むしろ称賛されています。

**島田**　トランプがアメリカの分断を悪化させたとマスコミは言いたがりますが、事態をスパイラル的に悪化させたのは、誰よりも、マスコミを含むトランプ錯乱症候群の人々です。トランプは、何かと挑発的言動を好みますが、政策は全体として保守の王道を行っています。「口の悪いレーガン」と言ってもいい。

異常性を増大させたのは左翼の側で、それを煽り続けたのがマスコミです。日本の政治家の多くは、アメリカの保守派について何も知らないので、マスコミ報道を鵜呑みにし、「馬鹿なトランプが悪い」と思い込んでいる。同時に、バイデン政権の教唆・圧力をアメリカの意向と誤解し、ＬＧＢＴ利権法を強引に通したりした。愚かと言う他ありません。

## アメリカでは保守派がしっかりしている州の人口が増えている

**飯山**　アメリカの場合は、メディアや大学の左傾化が進む一方で、一般人や州のレベルでは揺り戻しが起きているのではありませんか。

**島田**　その通りだと思います。典型はフロリダ州です。2年前の国勢調査で、フロリダ州とニューヨーク州の人口が逆転しました。アメリカは現在、人口が多い順に、カリフォルニア、テキサス、フロリダ、ニューヨークと続きますが、以前はニューヨークが3位で、フロリダが4位でした。2年前に、3位と4位が入れ替わったわけです。

フロリダ州は共和党のデサンティス知事と同党主導の州議会がタッグを組んで、レーガン的な本格保守政策を進めてきました。経済では減税、規制改革による経済活性化を基本理念としています。

また、コロナ禍で、アメリカのみならず世界の多くが、都市封鎖や外出禁止、「自粛要請」に走り、経済を冷え込ませるなか、フロリダ州では、経済活動や日常生活の制限を最小限、最短期間に留めました。学校の対面授業も早々に復活させ、親が安心して外で働ける状況をつくりました。

脱炭素原理主義を拒否し、州内のいくつかの市が、電源として再生可能エネルギー以外は認めないという方針を発表したのに対し、各自治体はいかなる電源に関しても禁止ないし制限措置を取ってはならないとする州法を成立させました。

その間、ニューヨークはどんどん左翼的な政策を進め、税金も高くなる一方。だからニューヨークから脱出して、フロリダに移る人が増えた。それで、人口が逆転したわけです。ところで、偽善的で利己的な左翼の典型が、ナンシー・ペロシ元下院議長（民主党）です。ペロシはカリフォルニア州サンフランシスコ市が選挙区ですが、同州は極左労働組合べったりのギャビン・ニューサム知事の下で治安が悪化し、電気代が高騰するなど、犯罪者以外には非常に住みにくい地になった。ペロシはそうした政策を支持し、推進してきた代表格ですが、なんと引退後に暮らす家をフロリダに買いました。

**飯山**　そうなんですか（笑）。

**島田**　左翼的政策でカリフォルニアとりわけサンフランシスコをボロボロにしておいて、自らは、事あるごとに非難してきたデサンティス知事が経済、治安を回復させたフロリダに移住するわけです。見事なまでの偽善です。

**飯山**　保守派の街は治安もいいですからね。

**島田**　創設者が「我々は訓練されたマルクシスト」と公言する運動体ブラックライブズマターや民主党の極左政治家の合言葉は、「警察の資金を断て」（defund the police）です。警察は構造的な人種差別集団だから解体すべしというわけです。しかし本音のところは、彼らの過激な活動にとって警察が邪魔だからでしょう。

一方、デサンティス知事は、「警察の資金を充実させよ」（fund the police）をスローガンに掲げて、警察官の待遇を改善し、さらに全米の「冷遇に嫌気の差している」警察官に対して、ボーナス付きでフロリダに来るよう呼びかけました。その結果、治安が目に見えてよくなったわけです。

**飯山**　フロリダのデサンティス知事は、10月7日のハマスのテロ後、イスラエルからフロリダ市民を救出する作戦を行いました。州レベルでこんなこともできるのかと驚きました。

## 日本の政治家は左翼の本当の怖さを理解していない

**島田**　機微なテクノロジー分野で中国と共同研究をする大学には、補助金を打ち切るといった州レベルの対中制裁も行っています。

なお、ブラックライブズマターはマルクス主義を掲げていた頃は泡沫団体でしたが、「警察対黒人」の単純かつ誇張した図式を前面に押し出して、「人種偏見と闘うＮＧＯ」という看板を掲げて以来、巨額の資金を集めてきました。

**飯山**　共産主義や労働者の団結などを掲げても、資金は集まらない。でも反差別や環境問題などを掲げると、大量の資金が集まるわけです。

**島田**　企業や各種団体も、「みかじめ料」的な感覚で、「黒人に冷たい」と攻撃されないよう、とりあえずカネを出す。

**飯山**　有名人やスポーツ選手なども、カネを出さないと自分たちが標的にされるかもしれないという恐怖がある。一方で、ブラックライブズマターの組織としての会計は不透明ですね。

**島田**　自民党の裏金どころではない。文字通り、巨大なブラックボックスです。共同創設者の一人、黒人女性のパトリッセ・カラーズは高級住宅地に豪邸を4つも購入していました。

**飯山**　パトリッセ・カラーズは辞任しましたが、会計状況は不透明なままです。日本でもブラックライブズマターを批判することはタブーになっています。

**島田**　左翼政党や左翼評論家に限りません。

　自民党の中にも、松川るい参院議員のように、元外交官でありながら、アメリカの現状をまったく理解しない人がいます。彼女は、テニスの大坂なおみ選手の、警察は「黒人ジェノサイド」集団という極左過激派アンティファばりの誤った発信に迎合して、「米国警察は黒人の命を軽視するのをやめてほしい」などとポストし、批判を浴びて撤回、謝罪する醜態を演じました。

**飯山**　松川氏は、「大坂さんの政治的発信に感動しています」というようなことを言っていました。

**島田**　底知れぬ意識の低さです。

**飯山**　これを与党の自民党の議員が言っているというのが、日本の政治状況を象徴しているように思います。

日本の国際報道はウソ《嘘》だらけ

# 第6章

# 国連と学会が機能しないのはなぜか

## 日本の国連常任理事国入りはできるはずがない

**島田**　国連が機能しないのはなぜなのか、どう対応すればいいのか。この問題についても、さらに掘り下げたいと思います。機能しないどころか、日本の国益に反する決議や内政干渉も多数行う国連への対処として一番簡単なのは、アメリカと日本が脱退し、拠出金を引き揚げることです。そうすれば国連の経常費の４割以上がなくなる。

**飯山**　本当ですよね。

**島田**　国連は自動消滅するか、無駄遣いの大幅カットを余儀なくされる。

**飯山**　国連は、安保理の構造がある限り難しい。日本は非常任理事国。非常任理事国だからこそ、日本が主導して国連を改革するんだ、みたいなことが新聞に書いてあって、この人たちはバカだと思いました。国連は構造的に改革しようがない。

**島田**　構造的に改革できないのは、後で触れますが、国連憲章を読めば明らかです。

なお、国連の各機関にできるだけ日本人を増やすことが国益に叶うと、外務省を中心に日本政府は予算を積み増してきましたが、その結果、何が得られたのか。現在、国連における日本人職員の「出世頭」は中満《なかみつ》泉氏（国連事務次長・軍縮担当上級代表）です。２０１７年以来、この地位にいます。

彼女は、国連の軍縮部門トップとして、核兵器禁止条約の採択に尽力したことで知られます。（同条約は２０１７年に国連総会で採択され、２０２０年に発効に必要な批准国数50に達した。２０２１年1月発効）。

ところで例えば、２０２３年12月にニューヨークで開催された核兵器禁止条約第2回締約国会議は、「核抑止論の正当化は核拡散のリスクを危険なほど高めている」という進歩派的認識を示したうえで、各国はそうした政策を放棄して核兵器禁止条約に加わるべきだとする宣言を採択して閉幕しました。

この会議も、中満氏が仕切り役を務めました。では核兵器禁止条約および同締約国会議に、日本政府はどのように関わってきたか。

まず日本は、核兵器禁止条約に署名していません。アメリカの核の傘に頼りながら、核抑止論を否定するのは自己矛盾で、国益を損なうとの考えからです。日米安保条約を結んでいる以上、当然でしょう。締約国会議にも参加していません。オブザーバー参加すら見送っています。

日本が長年、多額の拠出金を出してきたがゆえに得られた中満氏の国連事務次長就任ですが、結果的に国益に反していると、日本政府自身が認めたに等しいわけです。

**飯山**　おっしゃる通りです。

**島田**　なお外務省はいまだに、日本の常任理事国入りを目指して外交活動を展開するとして、税金をばら撒く構えですが、国会が止めねばならない。安保理常任理事国は、国連憲章に米英露仏中と具体的国名が列挙してあります。仮に日本が加わるとなれば、憲章の改正が必要です。

改正は、まず国連総会で3分の2の賛成を得たうえで、「すべての安保理常任理事国を含む」3分の2の国が批准を済ませた段階で成立します（第108条）。要するに常任理事国5カ国には、憲章改正についても拒否権が認められているわけです。

**飯山**　そうですよね。

**島田**　ロシアと中国、特に中国が、日本を常任理事国に加えるという改正案を批准するはずがない。だから日本の安保理入りは、中国共産党政権が倒れない限り、あり得ません。外務省は「拒否権を持たない常任理事国という形なら、中国を含む多くの国の賛同を得られるはず」と言って、税金を浪費してきましたが、いい加減やめるべきでしょう。北岡伸一という人を知っていますか？

**飯山**　知っています。

**島田**　日本近代政治史を専攻する東大名誉教授ですが、現役教授時代に出向の形で、数年間、国連次席大使を務めました。いかに外務省と一体の人物か分かります。その間ニューヨークで、日本の常任理事国入りに向けた地ならしとして、数多くのパーティーを開き、多額の税金を無駄にした。これは、ある外務省幹部からオフレコで聞いた話です。もちろん何の成果も生まなかった。

外務省は、日本、インド、ブラジル、ドイツの４カ国が、拒否権を持たない形で同時に常任理事国になる案なら通る可能性があると言いますが、常識的に考えて、あり得ません。例えばインドの常任理事国入りには、パキスタンが全力で反対する。ブラジルにはアルゼンチン、ドイツにはイタリアなど、それぞれライバル国があって、いずれもおとなしく賛成するはずがない。

**飯山**　中国も絶対に反対しますよ。

**島田**　特に日本に関しては、絶対に反対でしょうね。過去の侵略を反省していない、「核汚染水」を流したなどと言うに決まっています。アメリカのボルトン元国連大使が、「まだ、日本だけ常任理事国にしてくれと言うほうが、4カ国同時案より可能性があるよ」と冗談半分で言っていましたが、その程度の限りなく可能性ゼロに近い話です。

**飯山**　その北岡伸一という人が、それこそ国際政治学者のロールモデルみたいになっている。つまり、あの人は世界の全部がお友達みたいな、そういう方針の人。彼はたとえばトルコのことを、素晴らしい親日国だと言って絶賛している。トルコがNATO加盟国でありながら中国やロシアに接近していること、中国と結びウイグル人を迫害し始めたことなどについては触れません。

すべての国を「親日」とかなんとか言って持ち上げ、カネを配って歩けば懐柔できると思い込んでいる、そういう人たちが日本の外交を主導しています。

**島田**　口の悪い人は、そういう人々をまとめて「外務省のペット」と呼びます。要するに御用学者ですが、外務省路線を各自の文章や講演、各種審議会での発言などで支持する見返りに、外務省の息がかかった「うまみのあるポジション」に就けてもらったり、外務省が差配する補助金を回してもらったりする。こうした癒着は、予算の承認権を持つ議会が精査して、問題にしないといけない。米議会など、結構うるさいですよ。

**飯山**　そうですね。

**島田**　安倍首相は、戦後70年談話や日米外交関係の審議会を立ち上げるとき、「北岡は座長や副座長で入れとかざるを得ないんだ」という趣旨を語っていました。へそを曲げられると、外務省と一体だけに、何かと厄介な話になりかねない。そういう利権がらみの御用学者は多いし、自民党も、陰に陽に外務省が推薦する形で、そうした人々を政調部会や各種議連、勉強会の講師として呼びがちです。政財官学を通じた癒着構造があると言わざるを得ません。

**飯山**　中東問題では山内昌之という人がいる。

**島田**　東大名誉教授ですね。

**飯山**　山内氏は政府に重用されて、政府の代表としてファーストクラスの飛行機に乗ってどこそこに行った、みたいな自慢話が得意な人です。

**島田**　そこまでの俗物でしたか。外務省ＯＢの宮家邦彦氏も、「この原稿はワシントンから帰る飛行機の中で書いている」を枕言葉にしていますね。どうでもいい話ですが。

**飯山**　いつもそうです。あの人の伝統芸ですね。

**島田**　今、言われた山内氏とか、慶應義塾大学の細谷雄一氏、宮家氏、北岡氏、元東大副学長で外務省所管のＪＩＣＡ（国際協力機構）理事長にも起用された田中明彦氏など、全員が外務省のペットの部類でしょうが、保守系とされる産経新聞、読売新聞などでもよく起用されます。原稿を一読するだけで、三流の論者だと分かるはずなので、新聞社も上層部の見識が問われますね。

**飯山**　産経や読売など、比較的バランスがとれているとされている媒体でも、外交関係で出てくるのは極端に偏った論者ばかりです。イランやハマスの問題では、慶應義塾大学の田中浩一郎という人もよく出てきます。

**島田**　ＮＨＫなどテレビによく出て、偏った、冴えない解説をしている人ですね。

**飯山**　彼は、アメリカが軍事作戦でイランの対外テロ工作のトップであるソレイマニを殺したとき、毎日のようにＮＨＫニュースに出て、アメリカ批判を展開していました。

**島田**　ソレイマニ殺害作戦に関しては、私はトランプがよく決断したと思っています。アメリカの主流メディアは、イランが報復してテロの嵐になるとか、無謀にも中東大戦乱の引き金を引いたなどと軒並み批判し、当時、大統領候補として選挙運動中だったバイデンも、「国際法にも、暗殺を禁じた米大統領令にも、違反する」などとトランプを非難しました。

ところがまったく逆に、テロ勢力に対する非常な抑止力となった。イランも、トランプはここまでやるのかと衝撃を受けたのでしょう、大した報復はしなかった。

**飯山**　しなかったですね。

**島田**　直後に米軍施設に数発のミサイルを撃ち込みましたが、死者は出なかった。

**飯山**　イランが直接やるのではなく、子飼いの武装勢力がやった。これがイラン得意の代理組織戦略です。

**島田**　それも一回限りでしたね。要するに、テレビ局御用達の評論家たちが言ったことはすべて外れたわけです。外れたどころか、真逆が正しかった。トランプを刺激すると何をされるか分からないと、タリバンですら暫《しばら》く静かになった。

**飯山**　北朝鮮もそうですよね。

**島田**　一方、バイデンがトランプに替わってアメリカ大統領になると、絶対に思い切った行動に出ないという安心感があるから、タリバンもプーチンも一気に攻勢に出た。やはりイランの対外テロのトップを除去するくらい「異次元のカウンター・テロ」を実行しないと、抑止力を効かせることは出来ません。国際反社勢力をひるませることはできない。

## 国際法に関して語る人間は、国際法の基本を知らない

**飯山**　ハマスもフーシーもテロ組織ですし、イランはテロ支援国家です。彼らはそもそも国際法など守らない。国際法など守らない輩《やから》が主権国家を攻撃してきているのに、被害を受けている主権国家に対して「国際法を守れ！」と言い、非難しているのが、いわゆる「国際政治学者」たちです。

**島田**　国際法は国内法と違って、法執行権力がありません。無視する者は、どこまでも無視する。大体、安保理常任理事国の中国が、冷笑的かつ露骨に無視してはばからない側の代表です。言うまでもなく、国際法とは、矛盾がないよう整理された法体系ではなく、様々な条約だとか、国際合意だとか国際慣習だとかの雑多な総体です。条約について言うなら、一応規定に縛られるのは、調印し、批准した国だけです。例えば地雷禁止条約には、肝心の北朝鮮、アメリカ、イラン、ロシア、中国のいずれも入っていません。

だから、国際法を振りかざす人には、「あなたは具体的にどの国際法のことを言ってい

るのか」「その条約なり合意文書なりに、参加している国、参加していない国はどこなのか」と聞き返さねばならない。大抵はハッタリで、具体的に答えられない。

「いや、キリスト教国が中心につくった国際法など無意味で、重要なのはシャリーア（イスラム教の経典コーランと預言者ムハンマドの言行〈スンナ〉を法源とする法律）だ」というのが、イスラム・テロ集団あたりの基本的発想でしょう。テロ組織相手に国際法を持ち出すのは、山口組のヒットマンに憲法9条を説くのと同じです。

**飯山**　国際法など守る気など一切ないテロ組織ハマスを相手にしているイスラエルに対し、「お前たちは国際法を守っていない！」と非難を浴びせる。ウクライナに軍事侵攻したロシアを非難するのと同じ口調で、ハマスではなくイスラエルを非難する国際政治学者の倒錯は、目に余ります。

**島田**　岸田政権は、中国が日中中間線の日本側に設置した違法ブイに関しても、「国連海洋法条約に撤去してよいと書いていないので、動けない」などと上川外相に国会答弁させた。わざわざ中国に有利なように、国際法を解釈しているわけです。

ちなみに、アメリカはいまだに国連海洋法条約を批准していません。共和党保守派が反対姿勢を崩さないため、批准に必要な上院の3分の2の賛成が得られない。

反対理由は、条約の規定通り紛争事案を国際調停に委ねると、ヨーロッパ・リベラル中心のパネルが反米的な裁定を行いかねず。海洋秩序維持の中心である米海軍の行動が制約されかねない。アメリカが世界最強の海軍を保持する限り、こんな条約に入るメリットはないというものです。エゴイズムと批判するのは簡単ですが、現実を踏まえた対応と言えます。

**飯山**　その通りですね。

**島田**　共和党保守派のもう一つの反対ポイントは、企業が深海の資源開発を行った場合、その利益の一定割合を国際管理機構に拠出し、すべての加盟国が海洋資源から利益を得られるよう分配せねばならないとの条項です。

ブッシュ政権のラムズフェルド国防長官が強調していましたが、米企業が苦労して深海開発して得た利益を、なぜ、例えばキューバの反米政権などに回さないといけないのかということです。こうした米保守派の現実重視の議論も頭に入れて海洋問題に対処しないと、日本はいいいようにカモにされますよ。

**飯山**　実際に今、いいようにカモにされています。

## 日本は世界中からバカにされ、たかられている

**島田**　岸田首相は国連で演説するたびに、核廃絶を研究する外国シンクタンクに30億円を拠出しますなどと国費を浪費してきた。まさにカモねぎ外交です。世界の左翼系ＮＧＯやシンクタンクは「ずっと岸田が日本の首相で居てくれ」と思っているでしょう。

しかし、「核廃絶研究」というと、国会でもマスコミでも批判論は出ない。タブーだからです。どんどん税金がドブに捨てられるどころか、国際左翼の活動費になっていく。バカげた話です。

**飯山**　一生懸命いろいろな国にいい顔をして、バランス外交をして、実際にそれで日本の権益が維持されて、日本の治安が守られて、日本が本当にすべての国から愛される素晴らしい国だということになれば、それはそれでいいかもしれない。でも、実際には日本の船が攻撃されているわけじゃないですか。

**島田**　そうです。

**飯山**　だから成果はまったく出てない。それと岸田さんの政策に国民は賛同しているんですかというと、まったく支持率に反映されていない。岸田さんのバランス外交は、国際的にも評価されていないし、国内でも評価されていない。そういう結果になっている。

**島田**　みんなに舐められています。にもかかわらず、性懲りもなく、「ＡＴＭ付き起き上がりこぼし外交」を続けているわけです。岸田氏は自分の選挙区の広島に向けて、核廃絶で頑張っているとアピールしたいだけでしょう。それなら自分のポケットマネーでやればいい。国費を無意味にばら撒きながら、「財政が苦しいので増税します」と言う。ふざけた話です。なお改めて強調しますが、中国とロシアが拒否権を持つ国連に軸足を置く外交は、基本的に筋違いです。

**飯山**　そうなんですよ。

**島田**　今はＧ７、ＡＰＥＣ（アジア太平洋経済協力）をはじめ、多種多様な国際的枠組がある。Ｇ７には、中国やロシアは、拒否権保有どころか参加も許されていない。ＡＰＥＣでも、もちろん中国、ロシアに拒否権はない。したがって、こうした枠組の活性化に資源を集中投入すべきです。国連諸機関に関しては、できるだけ拠出金を減らし、静かに足抜けを図るべきでしょう。

**飯山**　まったく同意です。「国連の常任理事国になるのが日本の正しい道なんだ」なんて、どうかしている。あるいはＮＡＴＯの事務所を日本に設置するなんて言語道断だとか、むしろ逆の方向に突き進んでいますね。

**島田**　結局、岸田氏の場合、外交は基本的に外務官僚の言いなりです。首相主導と言えるのは、「核廃絶ひとり相撲外交」とそれに関わる無駄な税金支出だけです。

外務官僚は一応、国連憲章は読んでいるでしょうから、日本の安保理常任理事国入りが構造的に不可能なことは分かっているはずです。もし「中国の意を迎えて、批准をお願いする」と考えているなら、本末転倒も甚だしい。国益をますます毀損《きそん》します。国会議員はおそらく、国連憲章に何が書いてあるか知らないでしょう。

**飯山**　日本の国会議員は、誰も国連憲章を読んでいないのかもしれません。だから安保理改革はできるとか言われると、政治家は簡単に騙される。国連憲章のポイントになる文ぐらいは知ってほしい。つまり、なぜ国連憲章が日本に有利な形で、逆に言うと中国とロシアに不利な形で改定できないのか。これはもう、ビルトインされている。最低限それぐらいは日本の政治家は知っておくようにしないと、世界のカモになるし、外務省のカモにもなる。

**島田**　先にも出ましたが、パレスチナ難民を支援するためとされる無責任な国連組織に、ＵＮＲＷＡがあります。

**飯山**　ＵＮＲＷＡだけじゃなくてＵＮＨＣＲ（国連難民高等弁務官事務所）とか、ああいうものも日本が一番のカモだと思っているでしょう。トップがよく来日しますし。お金を積み増してくれと頼みにくる。

**島田**　その通りですね。アメリカでは、共和党を中心に、ＵＮＲＷＡは事実上ハマスの別動隊であり、支援金など渡してはならない、との議論が盛んです。ＵＮＨＣＲがあるのに、なぜＵＮＲＷＡなど要るのか、廃止しろという声もある。日本の国会では、そうした声はまったく聞かれません。それ以前に、ＵＮＲＷＡが何かを知らない議員が大半だと思います。

**飯山**　ＵＮＲＷＡの幹部には日本人もいて、しょっちゅう日本に来て、「ガザは天井のない監獄だ！」と言って悲惨さをアピールして、大金を集めて帰ります。

**島田**　アメリカの国務省も外務省に似ていて、ＵＮＲＷＡなどにどんどん資金を出そうとする。国務省の利権にも繋がりますから。

しかしアメリカの場合、例えば、「イスラエルと講和を結ぶ約束を果たす前に、パレスチナに対して国家資格を認めたいかなる国連組織にも、米政府は資金を拠出してはならない」とする国内法をつくるなど、議会がさまざまに縛りを掛けている。

**飯山**　日本の場合は、外務省がカネを出してテロ支援をするのを止める仕組みがないのですか。

**島田**　資金を出す先が国連機関の看板を付けていれば、ノーチェックでしょう。米保守派と違って、日本の議員には、国連を疑うという発想がそもそもない。飯山さんあたりに中東の現実について、ちょっと話をして欲しいと依頼してくる党はありますか。

**飯山**　ありません。私は日本が外国に援助をする際には、そのカネが適切に有効に使われていることを確認する必要があるという立場です。カネを払っただけで満足している、今の政府の「ばら撒き外交」には反対です。

**島田**　日本の国会にも政党にも、チェック機能はありません。特にカネを出す先が「国連」となれば、盲従に近い。

## 大勢に逆らうと、学会に居残れない

**島田**　最後に、なぜ日本の専門家やメディアは左寄りなのか、アメリカでもそうなのかを考えたい。アメリカのいわゆる主流メディア、ニューヨーク・タイムズ、ワシントン・ポスト、CNNや3大テレビネットワークなどは、編集幹部の8割以上が民主党員だと言われます。

**飯山**　民主党のスタッフとテレビ局のスタッフって、行ったり来たりしますよね。

**島田**　「民主党・メディア複合体」という言葉があります。アメリカでは、「公正でバランスの取れた」報道ではなく、進歩派的政策の実現を目的として、ジャーナリズムの世界を目指す者が多い。そして記者職などを踏み台にして、ホワイトハウスや各省庁の報道官などのポジションに就ければ、その人脈に期待する大企業やシンクタンクから高給で声がかかる。メディア産業に復帰するとしても、箔《はく》を付けた分、地位も年俸もアップします。

**飯山**　キャスターになったりとかね。

**島田**　進歩派報道人の党派的な言動には、民主党政権で幹部ポジションに就くことを睨んだ「就職活動」の一面があります。上昇志向が強いメディアマンにとっては、いかに進歩派サークルで「弁の立つ同志」と見られるかが重要であって、「公正中立な報道」などハナから念頭にありません。

トランプ時代のホワイトハウス担当記者は、ほぼ全員が民主党員でした。今は民主党バイデン政権なので、FOXニュースなど一部保守系メディアを除けば、みなバイデンのボロが出ないよう「かばうモード」に入っています。トランプのときは、全力で揚げ足取りに走っていましたが。CNNの記者など、マイクを離さず、質問というより、いかに自分が強烈な反トランプ派であるかをアピールすることに邁進していました。

**飯山**　日本にもそんな記者がいますね。

**島田**　東京新聞の望月衣塑子氏ですか。しかし彼女が淑女に見えるぐらい、トランプ時代のアメリカの記者たちはひどかったですね。完全に民主党の活動家でした。日本で衣塑子氏が目立つのは、まだ全体がそこまで堕《お》ちていないからでしょうが、予断を許しません。ところで学会のほうはどうですか。

**飯山**　中東研究業界の場合はやっぱり自分の政治的なスタンスを明らかにしないと、その学会には居残れない。それは何かというと、例えばパレスチナ問題に関してはとにかくパレスチナが絶対に正しいと。イスラエルは何が何でも悪とか。そういうスタンスを取らないと、学会自体に居残れない。そういうスタンスを取る人が大学の教員になって、外務省とか、あるいは文科省と結び付いて、外務省の補助金をもらったり、文科省の科研費を取ったりする。そして政府の意向を手助けする御用学者として、政策にお墨付きを与えていくっていう。その構造がぐるぐると回っているだけ。中東の場合、保守的な考えを持つ専門家が、イスラエルの権利を支持したり、あるいはアメリカの存在を肯定するような立場を取ったりすることは、学者としては許されない。

**島田**　国際政治学会でも、トランプを少しでも評価すると、知識人と思われないのではと怯《おび》えるモードがある。

**飯山**　自分に都合がいいように、現実を歪曲する訳ですね。

**島田**　とにかく、あらゆる点でトランプをけなし、自己のインテリ性をアピールする宮家邦彦氏のようなタイプが場を牛耳る傾向にある。なお宮家氏については、さすがに外務省でも、「今はトランプ・安倍時代なのに、ＯＢがあそこまでトランプさんを非難すると、ちょっと困るな」という声があったようですが。

**飯山**　メディアはトランプを支持する言説を封殺したように、イスラエルを支持する言説を封殺し、トランプやイスラエルは絶対悪であるかのように印象付ける報道を繰り返しています。

**島田**　ところが現実には、イランに迎合し、サウジを反炭素原理主義で怒らせるバイデンになって、中東を含む世界情勢は、以前よりはるかに不安定になりました。

**飯山**　私が散々これは駄目だと言っている岸田さんのバランス外交を、左翼、あるいは左がかったメディアは評価している。ありえない。

**島田**　繰り返しますが、バランス外交というより勇気も見識もない「起き上がりこぼし外交」です。小突かれても、小突かれても、札束を握って起き上がってくる。自民党には、しっかりとした保守理念に基づく政治外交の伝統がありません。アメリカの共和党では、減税、規制改革による経済活性化をスローガンとし、「力を通じた平和」を掲げてソ連崩壊を実現させたロナルド・レーガンが、ナンバーワン・ロールモデルとなっています。

**飯山**　そうですね。

**島田**　安倍さんが、自民党におけるレーガンになるべき存在でしたが、亡くなってみて、その遺志を真に継ごうとする議員が実に少ないことが明らかになった。むしろ全力で、安倍さんを忘れ去ろうとしているかのごとくです。

となれば、日本保守党あたりに頑張ってもらわないといけない。良い人材が集まることを期待しています。教育も重要です。ところで、アメリカも日本も大学は総じて左寄りですが、米大学の社会科学系教員は、民主党員7対共和党員1の割合だと言われています。

**飯山**　7対1で、1はいるんですね。

## 対案、別の選択肢がないのが日本の弱さ

**島田**　ハーバード大とかカリフォルニア大バークレー校なら、保守派教員の割合はさらに低いでしょう。やはり、アメリカのような、相当数の研究員を雇用する保守系シンクタンクが日本にも欲しい。有志企業や大金持ちの篤志家がぽんと寄付してくれれば……。

**飯山**　日本にそんな大金持ちがいますか。

**島田**　アメリカほどでないにしても、若干はいるんじゃないですか。アメリカのヘリテージ財団には、毎年60億円程度の寄付金が入ると言いますが、敬虔《けいけん》なクリスチャンの富豪の遺産管理財団などが、継続的に利子の一定割合を寄付するようです。日本でも税制上の優遇措置を拡大すれば、今はゼロ金利時代で難しいとはいえ、将来的には期待が持てると思いたいところです。

**飯山**　そうですね。

**島田**　ヘリテージは隣接するビルを、夏期講座に参加した若者の宿舎などに利用していますが、これも以前、富豪の所有者が寄付したものだと聞きました。

日本でシンクタンクと呼ばれるものは、官庁や企業の子会社に類するものが多い。その点、私が企画委員を務める国家基本問題研究所は、一切しがらみのない完全独立のシンクタンクです。さらに資金が集まれば、研究員をかなり雇用できるでしょう。

ちなみに、豊富な資金を誇る日本国際問題研究所は、優秀な研究員もいるとは思いますが、基本的に外務省の天下り組織かつ下請け機関です。現在の理事長、佐々江賢一郎氏は事務次官、駐米大使などを歴任した外務省有力ＯＢで、典型的な天下りです。佐々江氏は、財務省主導でつくられた「国力としての防衛力を総合的に考える有識者会議」の座長にも起用され、報告書で防衛増税を岸田首相に進言しました（２０２２年11月22日提出）。

非常に分かりやすい話で、彼は、日本国際問題研究所はもとより、外務省全般の予算を増やす働きを古巣の組織全体から託された存在です。だから、絶対に財務省に逆らえない。当然ながら、増税案に寄り添いました。こうした、財務省と官庁系、企業系シンクタンクとの癒着も非常に問題です。

**飯山**　日本の外交や国際研究が停滞する原因ですね。しかし、構造を批判するだけでは意味がない。島田先生が核武装論を提唱されているように、私は私で、日本の中東外交が間違っていること、日本社会で流布しているイスラム教理解が間違っていることを伝え続けたいと思います。

**島田**　日本の政界やマスコミの常識は、国際常識と真反対の場合が多いですからね。アメリカやイギリスで、もし大統領や首相が非核三原則や専守防衛を唱えれば、即日クビ、ないし正気を疑われて病院送りです。

**飯山**　現状では、日本の言論空間に「イランは日本の伝統的友好国」というイラン認識しか存在しません。そこに私が「いや、日本はイランに攻撃されています」と言って、事実を示せば、「あれ？　もしかしたら『イランは日本の伝統的友好国』というのはウソなのかもしれない」と思う人が出てくるわけです。

日本では特定の問題について、一つの見方、主張、方策しかない、ということがよくあります。しかし対案がない、別の選択肢がないというのは、民主主義国家としての「弱さ」そのものです。私は中東やイスラムの問題について、既存の見解や見方とは違う「別の選択肢」を提案できる人間であり続けたいと思います。

# おわりに

《飯山 陽》

人類の歴史には、これまでの社会の常識とは全く異なることを主張する人物というのが時折現れます。そういった人は概ね、当初は変人扱いされたり、異端だと断罪されたり、露骨に攻撃されたりする。しかし後の世になり、その主張が科学的に証明されたり、あるいは多くの人の支持を得て社会を変えたりする例も少なくありません。

島田先生は学者として、日本で唯一「核武装論」「独自核保有論」を公然と主張していらっしゃる方です。先生の主張は、核の脅しに対しては自前の核抑止力を持って、それを抑えるのが常識だというものです。しかしいかに合理的であろうと、日本ではこれを議論すること自体がタブー視されているので、なかなか議論は広まらないし、深まりません。

それでも島田先生が「独自核保有論」を唱え続けているおかげで、日本社会にもその重要性に気づく人が少しずつ、確実に増えてきています。私もその一人です。

それだけではありません。島田先生は賛同者が誰一人いなくても、自分が正しいと信じた主張を曲げずに信念を貫く、そういった姿勢を身をもって示して下さっています。先生の生き方は、独自の中東イスラム論を主張し、中東イスラム業界の中では完全に孤立しているだけではなく、四方八方から人格攻撃を受けている私にとって、実に頼もしく、心強い。島田先生は私にとって、羅針盤のような存在だと言っていい。

日本社会や外交、学会における定説とは全く異なる説を唱える島田先生と私の対談から なる本書が、読者のみなさまにとっても進むべき道を示す羅針盤のような存在となってくれれば嬉しいです。

島田洋一

×

飯山陽

# 日本の国際報道はウソだらけ


2024年2月9日発行　第1刷発行
2024年4月6日発行　第4刷発行

著　者　島田洋一×飯山 陽



発行人　岩尾悟志
発行所　株式会社かや書房
〒162-0805
東京都新宿区矢来町113　神楽坂升本ビル3F
電話　03-5225-3732（営業部）

印刷・製本　中央精版印刷株式会社





Printed in Japan
ISBN978-4-910364-43-8 C0031